Biblioteca Biográfica Venezolana

Aldemaro **Romero**

BIBLIOTECA BIOGRÁFICA VENEZOLANA

Director: Simón Alberto Consalvi
Coordinador Editorial: Diego Arroyo Gil

Consejo Asesor
Ramón J. Velásquez
Eugenio Montejo (†)
Carlos Hernández Delfino
Edgardo Mondolfi Gudat
Simón Alberto Consalvi
Diego Arroyo Gil

C.A. Editora El Nacional

Presidente Editor: Miguel Henrique Otero
Presidente Ejecutivo: Manuel Sucre
Editor Adjunto: Simón Alberto Consalvi
Gerente Unidad de Negocios Libros El Nacional: Italo Atencio
Asistente de proyecto: Ilianna Severiche

Diseño Gráfico: Eliezer La Rosa
Fotografías: Cortesía Fundación Aldemaro Romero
Impresión: Editorial Arte, S.A.
Distribución: El Nacional

Las entidades patrocinantes de la Biblioteca Biográfica
Venezolana, Bancaribe y C.A. Editora El Nacional,
no se hacen responsables de los puntos de vista expresados
por los autores.

Depósito legal: lf54520099204382
ISBN: 980-6518-56-X(OC)
ISBN: 978-980-395-249-5

Conversación con el lector

La Biblioteca Biográfica Venezolana es un proyecto de largo alcance, destinado a llenar un gran vacío en cuanto se refiere al conocimiento de innumerables personajes, bien se trate de actores políticos, intelectuales, artistas, científicos, o aquellos que desde diferentes posiciones se han perfilado a lo largo de nuestra historia. Este proyecto ha sido posible por la alianza cultural convenida entre Bancaribe y el diario *El Nacional*, y el cual se inscribe dentro de las celebraciones del bicentenario de la Independencia de Venezuela, 1810-2010.

Es un tiempo propicio, por consiguiente, para intentar una colección que incorpore al mayor número de venezolanos y que sus vidas sean tratadas y difundidas de manera adecuada. Tanto el estilo de los autores a cargo de la colección, como la diversidad de los personajes que abarca, permite un ejercicio de interpretación de las distintas épocas, concebido todo ello en estilo accesible, tratado desde una perspectiva actual.

Al propiciar una colección con las particulares características que reviste la Biblioteca Biográfica Venezolana, Bancaribe y el diario *El Nacional* buscan situar en el mapa las claves permanentes de lo que somos como nación. Se trata, en otras palabras, de asumir lo que un gran escritor, Augusto Mijares, definió como lo "afirmativo venezolano". Al hacerlo, confiamos en lo mucho que esta iniciativa pueda significar como aporte a la cultura y al conocimiento de nuestra historia, en correspondencia con la preocupación permanente de ambas empresas en el ejercicio de su responsabilidad social.

Miguel Ignacio Purroy
Presidente de Bancaribe

Miguel Henrique Otero
Presidente Editor de *El Nacional*

1810 Bicentenario de la Independencia de Venezuela **2010**

Aldemaro **Romero**

(1928-2007)

Federico Pacanins

Periódicamente en la historia, emerge un hombre que posee una rara combinación de atributos físicos, rasgos de personalidad única y una energía poderosa, que se combinan, con una caprichosa coincidencia, con elementos geográficos, políticos y culturales.

Todas estas fuerzas se unen simultáneamente para producir a un curiosamente colorido individuo, que surge repentina y dramáticamente –como un cometa que cruza el cielo– y, así de dramático, desaparece.

Aldemaro Romero, prólogo del libreto cinematográfico *The latin lover.*

Liminar

La noticia de la designación de los Premios Nacionales de la cultura venezolana correspondientes al año 2000 tuvo un raro halo de justicia artística. En el Hotel Ávila, emblema arquitectónico caraqueño prestado a la reunión de los jurados, el día 27 de septiembre de 2001 se anunció el ganador del rubro musical según cierta motivación que afinaba el nombre de Aldemaro Romero a un necesario sentido de reconocimiento: "En razón de la presencia de su música en los más diversos escenarios musicales, la adaptación e incorporación de la esencia musical del folklore y las formas tradicionales en creaciones sinfónicas, instrumentales y vocales".

Músicos y funcionarios de cultura suscribieron el acuerdo. José Francisco del Castillo, Isabel Palacios, Eduardo Rahn, Adina Izarra y Paul Desenne, jurados, contaron con el refrendo oficial de Roberto Hernandez Montoya y Manuel Espinoza, viceministro de Cultura y presidente del Consejo Nacional de Cultura. Variadas voces habían propuesto al hombre y sus logros; entre ellas, de central importancia, la del director Rodolfo Saglimbeni, dando formalidad a la candidatura en representación de la Orquesta Sinfónica Gran Mariscal de Ayacucho. Llamadas fueron y vinieron; los jurados comentaron, los periodistas reportaron. Casi todos aplaudieron. Ese metafísico transmisor propio de los melómanos funcionó al punto de reforzar la motivación del premio, como nunca ajustada al conocido lema del propio Romero que precisamente ofrecía al Hotel en los carnavales de hacía unas cuatro décadas: "¡En el Ávila es la cosa!".

Allí, en ese clásico hotel caraqueño con el sabor añejo de verdes jardines y clima amable, testigo de carnavales inolvidables animados por la orquesta de Romero, por fin fue la cosa de oficializar su nombre, tan reconocible para la música popular venezolana, como preterido en cuanto a premios formales por el ámbito académico nacional. Un nombre presto a entregar respuestas coherentes a ciertas interrogantes conceptuales que no conseguían soluciones satisfactorias en la mente de muchos melómanos nacionales.

¿Hasta cuándo el absurdo debate de música "culta" versus música "inculta"? ¿La música debe reputarse superior por tan sólo calificar como académica? ¿Puede alguna vez un buen joropo ser algo más artístico que una mala sinfonía? ¿No tienen los clásicos "lieder" alemanes de, digamos, un Schubert, la misma calidad de algún clásico bolero de Rafael Hernández o Agustín Lara? ¿Es inferior "per se" la expresión popular? ¿No merecía Eduardo Serrano, único nombre que para entonces exhibía el reconocimiento "culto" para su obra de franco extracto popular, haber estado acompañado por sus pares Luis María "Billo" Frómeta, Alfredo Sadel o Luis Alfonzo Larrain? ¿No es necesario un nombre que ejemplifique con vida y obra el tránsito de lo "popular" hacia lo "culto"?

Las respuestas pedían, además, la equidad propia de dar al que merece. Y así el distinguido jurado otorgó la condición de plausible sin "peros", a quien precisamente había desarrollado una dilatada carrera que abarcaba la propuesta académica a partir de las expresiones musicales populares afines a su espacio y tiempo. Al renovador de la música venezolana en su concepto y alcance, según las evidencias de cientos de grabaciones, presentaciones, partituras y, mejor aún, según miles de sensibilidades afectadas por una creatividad proyectada desde la música hasta un sorprendente más allá.

El Premio Nacional esta vez acarreaba cierta feliz coincidencia con un fin de siglo propicio para el reconocimiento debido a uno de los más versátiles, polifacéticos y prolíficos de los músicos nacidos en

Venezuela. Al artista cuya cuna ya rezumaba esencias de un padre dedicado por entero a la música y, quizás, a la educación de ese hijo siempre animado por el afán de conocimiento proyectado en una vida ascendente, de profundo significado cultural y segura trascendencia.

Aldemaro de cinco meses y medio

De marinero en Carnaval

Años de formación:
la familia Romero Zerpa (1928-1941)

Rafael Romero Osío (Valencia, 1879-Caracas, 1954) es el nombre del patriarca de la familia Romero Zerpa. El maestro Romero, músico de profesión reconocido en la Valencia de los años veinte, se casó con doña Luisa Zerpa de Romero el 10 de diciembre de 1925 y con ella estableció una familia de cuatro hijos: Luisa, Aldemaro, Rosalía y Godofredo, "los de la tercera edición", según gustaba referirlos a causa de dos matrimonios previos con las señoras Francisca Santana y Florinda Sandoval, que lo hicieron viudo y dieron a Mercedes, Carlota y Rafael condición de hermanos cercanos y significativos para los Romero Zerpa.

El padre y maestro ejerció su doble condición con toda la responsabilidad requerida por tiempos en que su oficio era una garantía de segura estrechez económica. Un oficio digno pero mal remunerado, digamos, marcaba el quehacer diario del hombre de origen humilde, formado con el esfuerzo propio del autodidacto: "Músico por obra y gracia de su vocación y de su esfuerzo. No tuvo maestros sino libros", según estima Pedro Francisco Lizardo en una breve biografía que recuenta una juventud de cuatrista, bandolinista y guitarrista, plena del apasionamiento político propio de un seguidor del "Mocho" Hernández y, algo después, del general Cipriano Castro, quien como presidente de la República e insigne bailador, lo impuso cual uno de sus directores favoritos.

Ni el favor político, ni la justa fama de sus composiciones –los valses "Josefina", "Iris", la canción "La vi pasar"–, ni la dirección de reputados conjuntos valencianos, podían traer holgadas condiciones económicas a un músico venezolano de comienzos del siglo XX. Cuadrillas, *one steps*, valses y pasodobles de su autoría acaso ayudaban al renombre artístico obtenido a finales de los años veinte y comienzos de los treinta, cuando la *Víctor Talking Machine Co.* (*RCA Víctor*) resuelve grabarle su composición "Las Tenazas", con interpretación del cantante internacional Juan Pulido. Pero este triunfo es sólo cosa de buena reputación augurando trabajo arduo, nada más.

Docencia, bailes y montajes de zarzuelas u operetas en el Teatro Municipal de Valencia son actividades complementadas por la popularidad creciente de las películas mudas, de pronto convertidas en fuente esencial de los ingresos familiares. El maestro Romero, además de dar clases, promover estudiantinas y dirigir orquestas teatrales, bien comprende el ritmo escénico de Chaplin, Buster Keaton, Rodolfo Valentino, Pola Negri y otras estrellas cinematográficas del momento. Su destreza como musicalizador es aplaudida por el público asistente a las funciones del Cine Mundial, situado en la calle Colombia, a una cuadra de la Plaza Bolívar de Valencia. Allí compone, arregla, ensaya y dirige al pequeño grupo de los mejores músicos del patio, para con ellos prestar servicio a una pantalla que produce suficientes ingresos para mantener su humilde casa en el Cerro del Zamuro, donde a finales de la década de los años veinte llega un hijo varón con los genes cargados del oficio paterno.

Nace, pues, Aldemaro el lunes 12 de marzo de 1928, en un ambiente valenciano tan impuesto de cine y música que su madre, doña Luisa, hasta acusa sus dolores de parto a mitad de una función vespertina musicalizada por su esposo. "Un anuncio de lo que él, Aldemaro, traía consigo", reconoce años después la tradición familiar. Su madre le llama "Marito" acaso por atenuar la extraña fuerza de un nombre que también reconoce para sí el maestro Romero –"Rafael Aldemaro en vez de Rafael Agapito, como dicen por ahí"–, y significa "insigne y noble" en su raíz goda referida a "Waldemar", "Valdemar", "Aldemar", o sencillamente "Aldemaro" como se le conoce y conocerá a lo largo de su vida. Tan germánico resulta el nombre, por cierto, como los de Luisa, la juiciosa hermana mayor, Godofredo, el menor de la familia, y Rosalía, hermana nacida en 1931 y siempre acompañante de "Marito" tanto en sus travesuras infantiles, como en su larga travesía de vida creativa.

La primera infancia transcurre en la casa número 24 del valenciano Cerro del Zamuro —hoy Parque Carlos Sanda—, ubicada en la calle Anzoátegui, también conocida como calle de la Fortuna y Cedeño. Un ambiente humilde de carencias económicas, pero también de acendradas costumbres y enriquecedores ejemplos, marca los años de primera infancia. El maestro Romero cultiva la lectura de periódicos y libros, instrumentos didácticos para sí y para sus hijos, al igual que cultiva las amistades de vuelo intelectual. Cosa corriente es verlo acompañado del padre Alfonzo, famoso cura párroco de San José, o del padre Rafael Antonio Torres, presbítero de la Iglesia de La Cabaña de la Divina Pastora donde bautizan y hace su primera comunión ese niño, preparado por las lecciones de catecismo de la maestra Juanita Rivolta, que décadas después y según recuerdos consignados en sus *Apuntes de la Música en Carabobo*, reconoce su condición de muchachito pastoreño que frecuentaba aquel templo donde

> *además de aprender de cristiandad, aprendía mucho de música: en su viejo armonio, con la benévola complicidad del padre Torres, improvisaba yo para compensar mi falta de conocimientos de música litúrgica, músicas seculares de mi creación, para amenizar la misa de diez de los domingos.*

También frecuenta el maestro Romero Osío al profesor Sebastián Echeverría Lozano, pianista de aficiones filosóficas a cargo de una escuela musical vecina donde el niño escucha instrumentistas principiantes, atestigua algunas lecciones de solfeo a cargo del profesor Antonio Pineda y "disfruta" del arte de Echeverría Lozano, de chaleco y leontina interpretando al piano una composición suya que sus alumnos retitularon como "Preludio en gris menor".

La resolución paterna apunta a inscribir al niño cual inquieto alumno del Colegio Páez, en el aula de la señorita Reneta Urraca, donde, a decir de Pedro Francisco Lizardo, "aprendía a balbucear las primeras letras, y se fugaba de las clases para asistir a los ensayos de la orquesta que dirigía su padre en las temporadas del Teatro Municipal". Son años de infancia, según los apuntes del propio Aldemaro, útiles para conseguir su equipaje musical básico en lugares de rancio sabor "pastoreño":

> (...) al lado de El Samán, patio de bolas de la pulpería de Pumo Monasterios, sanchesco mercante minorista, donde estaba la barbería del maestro Luna (a real los hombres y a medio los muchachos) con sus músicos parroquianos, que no vacilaban en echar mano del bandolín, el cuatro y la guitarra que colgaban de clavos en sus paredes, para entonar los valses y merengues de moda. Yo les miraba, les oía y aprendía.

La influencia musical del padre es complementada por la hacendosa presencia de la madre, quien asume las labores caseras e instructivas de su familia con focos centrados en otras ideas paternas: cultura, buenas maneras, costumbres cristianas, mucha lectura –*El Quijote*, *Gil Blas de Santillana*, *Bertoldo Bertoldino* y *Cacaseno*–, aderezada por los periódicos del día –*El Cronista*, *El Nuevo Diario* y *El Carabobeño*– y, por supuesto, música cual temas presentes en una educación familiar de importante fuerza afectiva para el niño Aldemaro, rememorada por la hermana mayor, Luisa Romero de Johnston, años después:

> De niño Aldemaro era muy inquieto, tremendo, inconforme, rebelde y aventurero (...) Con frecuencia se escapaba de la casa para perderse hasta llegada la noche en las calles de Valencia, curioseando, investigando, lo cual obligaba a su padre a ir a buscarlo y traerlo a casa "guindado de una oreja"(...) Le encantaba jugar en los terrenos de la casa y se ensuciaba mucho; había que cambiarle la ropa con frecuencia, pero no le gustaba que le pusieran ropa vieja. Se resistía además a usar alpargatas que era el calzado típico para los varones de la época en Valencia (...) siempre deseó lo mejor, lo fino, lo exquisito, una vida glamorosa y placentera a pesar de su condición económica. Ya como músico, decía satisfecho en una entrevista "nunca fui rico pero viví como rico" refiriéndose a su infancia. (...) Sus padres siempre le inculcaron el sentido de la responsabilidad, dignidad y honorabilidad familiar. Su padre tenía la costumbre de llevárselo de paseo por los alrededores de la ciudad, a Los Colorados, al Cerro de las Tres Cruces o a un juego de pelota en el primitivo estadio Parque Guzmán Blanco. Le llevaba a los ensayos en el Teatro Municipal de Valencia. Incluso cuando vinieron a vivir a Caracas, le llevaba a

conocer sitios históricos y el tour era completo, pues le hablaba de la historia del edificio o de las actividades que se llevaban a cabo en ellos (...) Para Navidad el maestro Romero preparaba una parranda en la cual todos sus hijos actuaban, escribía los versos, la música, construía el tambor, el furruco, las maracas, las farolas y banderas. Tras los ensayos de rigor, salíamos vestidos como varones a cantarle a familiares y amigos que nos recibían con alborozo; mi papá nos acompañaba al cuatro. Una vez al final de la presentación, ante el horror de su madre y su padre, a Aldemaro se le ocurrió "pasar raqueta" con el cuatro para solicitar los aguinaldos (monedas), como hacían los parranderos profesionales. Gran regaño les dieron al llegar a casa pero con ese dinero pudieron comprarse chucherías.

El recuerdo de su hermana Luisa habla del niño "muy inquieto, tremendo, inconforme, rebelde y aventurero", cualidades que acaso lo acompañan por el resto de su vida. También refiere como es que hay espíritu de familia y, por supuesto, hay casa. Y con la casa, pues educación casera marcada por una madre hacendosa, responsable, dispuesta a entregar el afecto materno a través de unas "Canciones para bailar a mis bebés" de su propia cosecha: "Niñito Blanco" (para Aldemaro)... "*Niñito varón niñito varón niñito varón niñito varón...*".

El amor maternal se ve complementado por un maestro Romero *pater familias*, siempre con la última palabra en todo lo concerniente a la vida familiar y preceptor de la formación ética básica del hijo que, décadas después, en sus memorias del libro *Encuentros con la gente*, recuerda con afecto la amorosa severidad del padre:

Yo aprendía de los libros y las enseñanzas de mi padre; me acuerdo particularmente de una lección fundamental que aprendí de él. Circulaban en mis años de niño monedas que, como la locha y el centavo, hoy han desaparecido (...) Yo, en mi candidez de niño, decidí cierta vez convertir un centavo en una locha, con el fin de meterle gato por liebre al pulpero de la esquina. Para lograr tan arriesgada medida financiera, acudí al primitivo recurso de golpear repetidamente el centavo con una piedra, para que el centavo se pusiera más grande y pareciera una locha. A vista de tan insólito proceder mi padre me reconvino, sin violencia pero con la firmeza que le caracterizaba: me hizo ver que lo que yo pretendía era tanto deshonesto cuanto estúpido; que la fuente de nuestros bienes materiales no podía provenir de la deshonestidad sino de nuestros méritos (...) Ese episodio de la locha y el centavo da cuenta del grado de pobreza en que vivía nuestra familia, dependiente de los magros ingresos de mi padre, a los cuales se agregaba, tímidamente, la modesta contribución de mi madre, producto de su trabajo como costurera, que era ocasional y escaso.

Obra, pues, en la educación casera del niño un padre responsable, severo, propulsor de la lectura y quien imparte clases de música a todos sus hijos, aunque no quiere verlos en su misma profesión para que no sufran las limitaciones soportadas por él. "A mí nadie me enseñó un carajo", resulta otra lección conclusiva y disuasiva frente a la insistencia del hijo que quiere seguirle los pasos y quien, por su fino oído, también alcanza a escuchar el colofón paterno "...y lo más seguro, hijo, es que a ti tampoco...". Sin embargo, el ambiente, los genes apostados en la oreja y el talento precoz le dan casta al niño que hurga en los secretos de la guitarra del padre y mucho aprende, por intermedio de cierto método adquirido en algún viaje a la capital. Aquellas primeras lecciones paternales para conquistar su primer amor musical, la guitarra, lo llevan de la mano del papá a la emisora radial La Voz de Carabobo, para hacer pública su destreza como niño guitarrista, hijo del conocido maestro Romero.

A mediados de los años treinta llegan así los días del debut público en *La Hora Infantil*. El programa radiofónico transmitido por La Voz de Carabobo, los domingos a las siete de la noche, es conducido por Miguel Eduardo Vásquez Romero, primo de los niños Romero Zerpa, presentados cual precoz dúo de guitarra y voz: Aldemaro con su hermana Rosalía, almas gemelas −futuras almas bohemias− prestas a compartir con el público valenciano histrionismo, canciones, y hasta peleas callejeras. El dueto gusta y los hermanos repiten. El niño se convierte acaso en el primer locutor infantil de la radio venezolana, cuando anuncia las cuñas de los helados El Polo y el Café El Indio, momentos antes de cantar canciones populares y entregar los premios de un helado o un kilo de café, cortesía de los generosos patrocinantes del programa. Corre la leyenda de la destreza del precoz locutor y guitarrista que a los 9 o 10 años, al escuchar en la cabina de la radio cómo otro guitarrista acompañante no encontraba el tono con el que su cantante comenzaba, inmediatamente sonó los acordes apropiados para acompañarlo y salvar la interpretación.

Las actuaciones radiofónicas en la era del general Eleazar López Contreras impulsan el serio divertimento del niño inquieto, tremendo y curioso al punto de revisar los libros que le recomienda el padre, mientras jurunga partituras paternas que poco entiende, pero goza tanto como el cúmulo de música popular que escucha en la radio, en los toques del padre y en visitas fugadas a las reuniones cañoneras de los músicos valencianos de la Torre de la Plata. Se trata de una niñez compartida con la hermana mayor Luisa, siempre enfocada en sus estudios proyectados a una carrera profesional, con Godofredo, quien crece como hermano menor apto para el diseño, las artes plásticas o la música, y con Rosalía, hermana favorita cómplice hasta de la compañía de un perro guardián bautizado "Yaracuy", y confirmado por una mudanza familiar a predios demarcados con el nombre del perro.

En 1938 el doctor Luis Felipe López, padrino de confirmación de Aldemaro, es nombrado gobernador del estado Yaracuy y designa al maestro Romero Osío director de la banda musical del estado con sede en la capital, San Felipe. El nombramiento supone mejoras económicas para la familia, quizás unos "años de oro" en comparación con las penurias económicas soportadas en la humildísima casa en el Cerro del Zamuro. Toca, pues, una mudanza a San Felipe para vivir allá tres años significativos en el tránsito del todavía niño de 11 años que deja Valencia, al adolescente de 14 que allí luego regresa.

En San Felipe el maestro Romero dirige y compone para la banda; además imparte clases en una escuela fundada en su casa, para así dar sentido pedagógico a los ratos no comprometidos por ensayos, retretas o conciertos. En el ínterin Aldemaro lee, toca guitarra según el método que le ha procurado su papá en un viaje a Caracas, escucha mucha radio y va a los cines Central y Tropical, donde se entusiasma con el estreno de *Lo que el viento se llevó*. Otra impresión de los años yaracuyanos queda traducida en cierta enseñanza, que décadas después cobra carácter de consejo profesional: un día antes de cantar en una misa que el maestro Romero ofrecía todos los años a San Cayetano, el travieso hijo se moja en la lluvia por andar tumbando mangos y por ello queda afónico. Doña Luisa lo obliga a hacer gárgaras de bicarbonato con agua tibia; con eso se le cura la ronquera. De allí en adelante, recomienda la cura como remedio a todos los cantantes que conoce.

Por otra parte, este joven ya no tan niño continúa con las lecciones primarias de la Escuela Padre Delgado, recibidas con amargas quejas porque, a su decir, allí casi todos los profesores tenían un retrógrado sentido pedagógico para con los alumnos excesivamente imaginativos. En esa escuela traba amistad con su distinguido maestro de cuarto grado, el joven dirigente político Raúl Ramos Giménez, y consigue amigos para ensayar una de sus primeras empresas en el mundo del espectáculo: el "Circo Yarac", donde junto con los compañeros de escuela musicaliza y emula los actos de ciertos artistas circenses que habían visitado San Felipe. Y así, entre travesuras, amistades, libros, desajustes escolares, inquietudes imaginativas y destrezas musicales concluye la infancia.

Para diciembre de 1941 la familia debe trasladarse de nuevo a Valencia. El nuevo gobernador de Yaracuy, capitán Luis Rafael Pimentel, dispone la sustitución del maestro Romero. La mudanza resulta traumática, aunque muy pronto el maestro Romero recibe una oferta del doctor Rafael Vegas, para trabajar como profesor de música en el Instituto de Preorientación para Menores, con sede en Los Teques. Esto significa, a mediados de 1942, el traslado definitivo a Caracas y un nuevo rumbo para todos los integrantes de la familia Romero Zerpa.

Caracas: de la guitarra al piano
(1942-1944)

La crónica íntima familiar refiere a una pianola cual notoria protagonista. Se trata del instrumento obsequiado a la abuela, Concepción León Ojeda de Zerpa, de parte de su hijo Eugenio. Aquella pianola, colocada en la sala de la abuela, resulta convidada central de las fiestas caseras y acaso, también un curioso instructor para el niño inquieto que descubría en sus rollos perforados, la digitación pianística requerida por el buen toque de *foxtrots*, valses, tangos y pasodobles. Tal es la importancia familiar del instrumento, que cuando muere el tío Eugenio, en señal de luto se le cubre con una sábana blanca.

La pianola entra inicialmente en casa de los Romero Zerpa para adornar las cualidades de señorita refinada de Luisa. Casi de inmediato se proyecta algo más para convertirse en atractiva compensadora de privaciones y penurias económicas de la familia. Más aún cuando se percibe en ella una seria operación transformista, que le ha extraído el mecanismo de pianola para convertirla en todo un señor piano. Y en este transformado instrumento, Luisa aprende los rudimentos básicos de un toque que demuestra al curioso hermano: escalas, primera digitación, algunos acordes básicos hacen que las destrezas de Aldemaro en la guitarra acompañante, de algún modo sean compartidas en el piano que, día a día, le va complementando una autoenseñanza desde entonces fundada, a su decir, en tres cualidades esenciales para todo músico autodidacto: "Memoria, oído y talento".

Al llegar a Caracas, en 1942, la familia se aloja en la casa de Carlota Romero Santana de Martínez, hija del primer matrimonio del maestro Romero Osío. "Villa Carlota" es el nombre rimbombante de la casa –quinta localizada en los lados de Prado de María, en El Cementerio, entonces apacible urbanización caraqueña. Las expectativas del maestro Romero están dirigidas a una breve estadía en casa de la hija, para al fin comprar una residencia familiar propia con el producto de su nuevo trabajo. De cierto esta mudanza no sólo acarrea el transporte del piano y demás enseres familiares, sino que abre caminos a muy concretas metas: ver culminados los estudios universitarios de Luisa y la educación media de Rosalía, Godofredo y, por supuesto, del rebelde adolescente de la casa, Aldemaro, que comienza a estudiar bachillerato en el Liceo Cecilio Acosta.

Son los 14 y 15 años del incipiente músico. Temporada de cambio de los pantalones cortos del niño, a los pantalones largos del muchacho compañero de otro Rafael Romero, en este caso Romero Sandoval, hermano mayor con quien ya había formado un dúo semiprofesional llamado "Tecla y Capodastro". Guitarra, piano y voces prestas a recrear cuanta cosa se escuche y pueda darle una que otra oportunidad pública en el más importante comunicador de ese tiempo: la radio en sus ondas de La Voz de la Patria, con el locutor Tirso Pérez León presentando al dueto. Esa misma radio, tantas y tantas veces entendida cual aparato casero transmisor de música, por no decir verdadero "maestro" en lo que a atención de estilos, géneros y repertorios se refiere.

Rafael lo llama "pata e' loro", por cierta tendencia a caminar con los pies volteados hacia adentro. Aldemaro, en fraternal camaradería, se ríe y piensa en su futuro musical marcado por una Caracas bohemia tan seductora, que ni el ilustre Cecilio Acosta resucitado –cuyo nombre inspiró el bachillerato sustituido por estudios en la Escuela Técnica Industrial–, podría mejorar respecto a la perspectiva que le propone un modesto músico del vecindario, José Gabriel Zamora, con un pequeño conjunto listo a examinar los avances logrados en el piano familiar.

El maestro Romero, por su parte, lucha y se desvive por no verlo reunido en los predios de cierto bar de la esquina de Mercaderes, donde una tarde lo saca de las orejas por saberlo jubilado de sus obligaciones en la Escuela Técnica Industrial, academia alternativa en que lo ha obligado a inscribirse para verlo graduado de algo. Y como eso tampoco funciona, pues será cosa de presentarlo en la Escuela de Santa Capilla ante Vicente Emilio Sojo, quien ha visto en Inocente Carreño, joven guitarrista de tríos populares, un futuro compositor académico.

El maestro Sojo no reconoce el talento del aspirante, aunque el maestro Moisés Moleiro sí percibe en él condiciones pianísticas que pule en sustanciosas lecciones. El forcejeo entre hogar, estudios y música es aderezado por continuas visitas a los músicos cañoneros de la esquina de La Torre; los "tigreros" reunidos en el negocio llamado La Matica –de Padre Sierra a Muñoz– con la atención puesta en el toque afrocaribeño que inunda la ciudad. Villa Carlota, mientras tanto, continúa alojando a los Romero Zerpa con su aprendiz de pianista, los meses necesarios para que el maestro demuestre el perfil exigido para adquirir a crédito y adecuar la propiedad de un apartamento en la nueva urbanización de El Silencio: apartamento H4, bloque 5 del conjunto residencial construido por el gobierno del general Medina, bajo la artística concepción del arquitecto Carlos Raúl Villanueva.

La mudanza al apartamento de El Silencio ocurre a comienzos de 1944, tiempo en que la resolución educativa paterna ya había insistido hasta el cansancio en ver al joven Aldemaro fuera de la música profesional y egresado de alguna cosa de la Escuela Técnica Industrial. Son, sin embargo, demasiadas las tardes en que la vieja pianola casera suena a verdadero piano acompañante de los boleros, tangos y sones que ofrece el radio casero, o los predios aledaños al Teatro Municipal y al Hotel Majestic. Otro tanto sucede con la gente que trabaja en el cabaret La Mezquita, en los altos del Nuevo Circo de Caracas, donde el recuerdo le impone

un descolorido carnaval, el de 1945, transcurrió entre las notas de la orquesta del trompetista Nemesio Méndez, "Carae'toro", y juntó en una misma agrupación a músicos cultivados como el compositor Ignacio Briceño, pintorescos como el saxofonista Laureano Cardona, "Güelelejos", y bisoños como el incipiente pianista Aldemaro Romero.

Años cuarenta, del piano en el night club

La Orquesta de baile de Aldemaro Romero

Del pianista acompañante al director musical: *Radar* (1945-1951)

El tránsito de convertir al guitarrista en pianista ocurre con naturalidad. Un instrumento le da consecuencia al otro; ambos nutren del conocimiento armónico, melódico y rítmico necesario para equipar al futuro arreglista, director y compositor, por el momento dedicado al acompañamiento de cantantes.

Rafael Lanzetta, conocido galán intérprete de tangos, lo emplea por la afinidad demostrada con el género de uno de sus ídolos, Carlos Gardel. El Bar Copacabana, frente al Hotel Majestic, El Patio, en la cuadra de atrás, y hasta los distinguidos espacios del propio Hotel –el *Copacabana* y La Taberna– lo hacen enterrar definitivamente la guitarra y los estudios formales para profesionalizar su condición de pianista acompañante. Un reputado conjunto de estilo afrocaribeño según el molde de La Sonora Matancera cubana, La Sonora de Caracas, le encarga arreglos orquestales que gustan a los cantantes del patio y, también, a la gente de Radio Libertador, donde actúa. El toque acompañante, los primeros arreglos, la dirección ocasional de pequeños conjuntos bailables, coinciden con su estreno como compositor del más clásico bolero venezolano de todos los tiempos: "Me queda el consuelo".

17 años cumplidos acusa en el agitado año de 1945, cuando recibe la propuesta del saxofonista Pedro Luis Aponte de inaugurar un local en Maracaibo con un combo orquestal: "El Colmao", frente a la Plaza

Bolívar, los recibe luego de viajar un día en autobús hasta Palmarejo, y de allí cruzar en ferry para inaugurar, "triunfar" y clausurar el local a los 20 días de inaugurado. De vuelta en Caracas y por razones de vecindario laboral con un cabaret denominado El Bakalí, conoce a la corista cubana Conchita Alfonso, *femme fatale* de las huestes nocturnas de "Las Modelos de Conde", identificada como "Alfa" a guisa de *nom de nuit*. La misma que, a su decir, le enseña "entre varias circunstancias y técnicas amatorias, la amargura de la veleidad femenina de... *saber que nunca la querrán lo mucho, que la quise yo*". Tal cual sucede en esos 17 años propios de los amores que de verdad matan, y al día siguiente resucitan en brazos de alguna Margarita Robles, cantante de cabaret que igualmente motiva ese y otros boleros inspiradores de un primer viaje a la Cuba de "Las Mulatas de Fuego" –Elena Burke y la mismísima Celia Cruz–, quienes en La Habana lo reconocen como el joven pianista que alternaba sus presentaciones en el Hotel Majestic.

El bolero de resurrecciones diarias es entonces el género rey. Así lo hacen saber las luminarias femeninas establecidas en el Biarritz, La Ópera o Mario, los mejores cabarets de la ciudad, y, por supuesto, en la radio. Así lo comprende y vive el pianista en sus encuentros musicales con ellas: Graciela Naranjo, figura seminal en la escena, le estrena "Como yo quiera" –también conocida como "A mi manera"–; de igual modo, conocen de su capacidad Olga Castillo y Elisa Soteldo, *chanteuse* barquisimetana establecida en los predios del Hotel Ambassador, el restaurant Maxim's o el Rainbow Room, distinguida sala de baile donde ofrece su mejor *swing* "La orquesta del buen tono", dirigida por Luis Alfonzo Larrain.

El cabaret es entonces lugar de trabajo y concierto. Conocer y acompañar ocasionalmente a Toña La Negra o Pedro Vargas no es cualquier cosa. Tampoco seguirle los pasos a Marucha Henríquez, "La Perla Negra", cantante oriunda de Puerto Cabello, que encarna el acto de la pianista y cantante. Presuntas idas y venidas a México, La Habana y otras ciudades del hemisferio la han convertido en una suerte de diva a quien admira la bohemia caraqueña. Aldemaro prueba suerte como arreglista de dos boleros, "Resignación" y "Ya llegó", que la cantante graba con él, mucho antes de ir a Nueva York a establecerse –graba allí de nuevo con Aldemaro "En la soledad", de Jesús "Chucho" Sanoja– y morir asesinada en 1957 en Harlem, con puesta en escena de *gangsters, vendettas* y pistolas.

Cabarets, *dancings* y especialmente la radio, dominan la escena musical del ensueño caraqueño de los años cuarenta. Las emisoras importantes tienen auditorios para transmitir actuaciones con público presente. Todavía no ha llegado la televisión y es esencial para el "escucha" recibir imágenes sonoras vivas, digamos, de la voz de Marco Tulio Maristany, Eduardo Lanz, María Teresa Acosta o Graciela Naranjo en programas de estilo romántico ofrecidos por Radio Caracas Radio –"Broadcasting Caracas"– o Radio Continente, encabezando preferencias del dial. Radio Tropical y, después, Radiodifusora Venezuela trasmiten "Cada noche una estrella", dándole al novel pianista la oportunidad que textualmente describe el nombre del programa. La "Caravana Camel", otro espacio de Radiodifusora Venezuela, propicia encuentros con el incipiente ídolo juvenil, Alfredo Sadel. Radio Libertador, La Voz de la Patria y otras emisoras menores también dedican tardes y noches a boleros en voz de *crooners* –"susurradores de melodías"– y divas acompañadas de los jóvenes pianistas con la mira puesta en componer, arreglar y dirigir orquestas: Jesús "Chucho" Sanoja, Stelio Bosch Cabrujas, Aníbal Abreu y, por supuesto, el muchacho de esta historia.

Conocimiento de boleros –"Vagando", "Gotita de niebla", "Lágrimas tristes", temas propios en voz del jóven Carlos Torres Parentti en el programa "Menú romántico"–, algo de jazz y experticia en los ritmos afrocaribeños son requisitos indispensables para quienes ofrecen servicios como músicos profesionales. La orquestas de baile son fuente de trabajo principal y la radio, su más importante publicista. Guarachas, rumbas, boleros y congas balancean cualquier set donde los pasodobles, valses, joropos o merengues callejeros son géneros criollos que nutren el conocimiento básico de los músicos.

Dos bandas bailables –*big bands* tropicales– centran el interés del público caraqueño: De una parte está la Billo's Caracas Boys, con su timbre popular ajustado al bolero "Ya no me quieres", composición de Aldemaro entregada a la voz de Miguel Briceño, a "Como yo quiera", con interpretación de Marco Tulio Maristany, y a una multitud de guarachas y sones –"Qué sabroso", otro número billero de cuna aldemareana– celebrados por el público juvenil. De otra parte se ofrece una orquesta más refinada, con guarachas, boleros y números de swing norteamericano abiertos a los atrevimientos vanguardistas del momento.

A los 19 años, en 1947, entra Aldemaro como pianista en la organización bailable más reputada del país: la Orquesta de Luis Alfonzo Larrain, "El mago de la música bailable". Allí se ajusta fácilmente a la disciplina del maestro Luis Alfonzo consistente en el correcto uso del uniforme –*smoking y frac*–, destreza en la ejecución y una puntualidad laboral que, con el tiempo, se torna en una cualidad cuasi legendaria de la personalidad aldemareana. Con los boleros "No volveré a encontrarte" de Carlos Maytin y "Amor de siempre", composición propia, la orquesta le graba sus primeros intentos cual atrevido orquestador de *big band*. Algo antes le había entregado un arreglo al maestro Luis Alfonzo y éste, al examinarlo, aleccionó: "Mira, aquí en verdad hay tres arreglos. Sepáralos, escoge el mejor, púlelo y después vemos".

La orquesta de "El mago de la música bailable" resulta toda una escuela. De orquestación conocía por las lecciones casuales de los músicos de la orquesta de El Bakalí, a cargo del maestro catalán Jaime Camino, y de la teoría y solfeo impartida por el saxofonista Pedro Antonio Ramos en diversos encuentros laborales. Algo estudiaba, por su cuenta, las composiciones de Lionel Belasco –"Miraflores", "Juliana", "San José"–, pianista trinitario que había modernizado y hasta *jazzeado* las armonías de los valses venezolanos. Pero trabajar dentro de la mejor agrupación musical del patio es otra cosa. El conocimiento se sofistica, pide más al ingenioso autodidacto. Accede allí al arte de un arreglista de avanzada, José Pérez Figuera, compositor del *tema* de la banda, con ideas afines a los avances armónicos y de coloraturas orquestales parecidas al "*Prelude to a kiss*" de Duke Ellington. Comparte conocimientos con Jesús "Chucho" Sanoja y Aníbal Abreu, pianistas amigos conectados a la orquesta. También protagoniza el experimento de interpretar los merengues, valses y joropos criollos en lenguaje del *big band*, tal cual lo concebía Luis Alfonzo y sus atrevidos colaboradores. Mucho ofrece la experiencia.

Jazz combinado al sonido afrocaribeño con orquestaciones atrevidas. Atención al sonido de la orquesta de Rafael Minaya, a los consejos del mismo director en cuanto a orquestación y rítmica. Atención también a los discos de Machito, suprema esencia del jazz latino; a los fenómenos orquestales dirigidos por Stan Kenton en los Estados Unidos, según los discos que le trae el hermano Rafael, entonces empleado de líneas aéreas con gusto también por André Kostelanetz y por el trinitario venezolano Edmundo Ross... ¿Cabe la música venezolana en formato de lo que dan a llamar orquestas de salón, a lo Kostelanetz o a lo Ross?... El tiempo del inquieto orquestador apremia, pero no tanto para dejar pasar la onda del mambo que ya algo resuena.

Nueve meses trabaja en la orquesta de "El mago de la música bailable". Allí conoce el arte de Dámaso Pérez Prado, que le causa impresión favorable por el modo de manejar la parte instrumental de las guarachas; es decir, los mambos. Llega el día de la renuncia para asumir la condición de director musical de un *crooner* bolerístico clave para la canción romántica venezolana: Rafa Galindo, el famoso "Trovador de la radio" de la orquesta de Billo Frómeta, entonces busca abrirse paso como solista asociado con otro famoso cantante billero, el Víctor Pérez de "El caimán" y los "...*camarones donde están los mamoncillos*...".

La orquesta Rafa-Víctor se estrena a finales de 1947 y, de paso, lo estrena como director musical. Con ellos escribe, arregla canciones y dirige las secciones de saxofones –allí un incipiente saxofonista del más insospechado futuro musical como guitarrista, Alirio Díaz– y trompetas propias de este tipo de bandas. Se presentan con éxito en los carnavales de 1948 en radio y fiestas, pero la empresa musical no dura: "Mala cosa la de orquestas producidas por cantantes", piensa de vuelta a un toque de puro embarque que un empresario les consigue en un pueblo provinciano y jamás les cancelan.

A sus 20 años el camino del arreglista y director en cierne continúa adelante. Ya va desentrañando los secretos de las secciones de violines, violas y cellos al arreglar para el conjunto Cuerdas de Playa, dirigido por Gérber Hernández, o para la orquesta de cuerdas de Ondas Populares que dirige Eduardo Serrano en el programa "Serenata". Es momento, también, para asumir la dirección de la orquesta de los programas de la Cigarrera Bigott, transmitidos por Radio Caracas Radio.

La relación con Rafa Galindo, uno de sus cantantes favoritos, lo lleva en aquel 1948 a grabar sus primeros arreglos con una orquesta de concierto, sección de cuerdas incluida. El bolero de su autoría "No necesito de ti" se combina con la canción venezolana "Florinda, criolla linda", para conformar un disco de 78 revoluciones por minuto grabado en los estudios radiofónicos. La experiencia ya le dice que el arte de arreglar y dirigir puede abordarse con éxito, ofreciendo su propia banda apoyada por un financista adecuado: Antonio Cortés, dueño de la tienda "Discolandia", escucha la propuesta con la atención del empresario que avizora el éxito de la música tropical bailable en manos del joven pianista. Comprende la necesidad de atriles, uniformes, micrófonos y algún pequeño capital para concretar transporte, ensayos, publicidad y primeros toques. Estrechan la mano y, conjuntamente con la orquesta, inician una amistad para toda la vida.

En 1949 nace la primera orquesta de Aldemaro Romero. Una sección de saxos complementa otra de trompetas, ambas sostenidas por el ritmo del bajo, la batería, la tumbadora, el bongó y el piano. Víctor Pérez toma el puesto de guarachero y Oscar Jaimes, el de bolerista que comparte tarima con la participación ocasional de Rafa Galindo. Elisa Soteldo apoya los comienzos de la banda y, algo antes, otras ideas del líder que, rayando la mayoría de edad, va con ella a La Habana a cumplir compromisos musicales y extramusicales. Los recuerdos de doña Elisa, consignados en nuestro libro *Tropicalia caraqueña*, apuntan el tono personal de esas memorias:

Para el año de 1947 yo tenía la condición de estrella. El Maxim's me había asignado una mesa y todas las noches a la mesa llegaba una orquídea que, de semana en semana, se acompañaba con un perfume. Cantaba allí de lo mejor. De pronto me dice el pianista y compadre César Rodríguez: –Mire, comadrita, ése muchacho que viene allí vestido de blanco va a ser un gran pianista–. A lo mejor, le contesto, pero así no. Y es que el muchacho se viene derechito a la mesa y me hace saber de cierto despecho por una cantante cubana con aquello de ...Señor, me queda el consuelo, de saber que nunca, la querrán lo mucho, que la quise yo... Y hasta allí llegan las cosas de momento. Pero empieza a ir al Maxim's, a dejarse ver en la mesa, hasta que un día se atreve a tocar el piano en lugar de Lorenzo Rubalcaba, un gran músico a quien le parece gracioso, talentoso, y lo acepta. Las visitas se hacen más frecuentes. Escucha, pregunta, trabaja notas en un cuadernito, hace arreglos para cantantes, nos los enseña, frecuenta mi casa (...) Así fui viendo un desbordante talento que me llevaba a protegerlo como si fuese su hada madrina. De pronto me enamoré totalmente de él a pesar de llevarle cinco o seis años (...) En 1948 me contrataron para cantar en La Habana, y a él también. Buscaban en mí una cantante de música popular latinoamericana y brasileña, a lo Lina Romay; en Aldemaro, al distinguido director joven, arreglista. Luego, conjuntamente con Rafa Galindo y Víctor Pérez, estrenamos la orquesta de baile de Aldemaro. También nace nuestra hija, Elaiza Romero, toda musicalidad, todo talento.

El vanguardista mambo "Radar", de su autoría, se convierte en tema de presentación. Los arreglos resultan experimentales, curiosos por no decir "raros"; mambos bitonales, guarachas con interludios *Be–bob*: "Que meta la mano Dios", "Trompeta Tropical", "Soy loco", acompañan las grabaciones de "Camarones" y "Piedra e' Kutamarén" con Víctor Pérez cantando, cual éxitos radiofónicos. Los jóvenes reciben la música de la banda con entusiasmo, pero también con cierta extrañeza: "¿Bailamos?", le pregunta una muchacha a su acompañante al escuchar los primeros acordes de "Radar", en un baile. "Ya va chica, no ves que están afinando...", le contesta el sorprendido novio.

Aldemaro parece proponer música para escuchar, no para bailar. Aun así toca bailes en clubes sociales de categoría –"Los Cortijos"–, en el "Casablanca" presenta a Daniel Santos, ícono tropical, como atracción de rumbosos carnavales. Suena en la radio, da tono vanguardista a la llegada de los años cincuenta y sus propuestas. En 1951 la orquesta filma para el director mexicano Víctor Urruchúa en "una de las peores películas de todos los tiempos", según reconoce Romero desde el día de su estreno: "Seis meses de vida", estelarizada por Amador Bendayán, con actuación de su antiguo patrón, Rafael Lanzetta, y, entre otras luminarias, pues las "Hermanas Dolly", conocidas rumberas del ambiente local quienes bailan con la orquesta un mambo central dentro del argumento fílmico. Mejor fortuna tienen los 13 minutos de otra pieza de cine documental dirigida por Henry Nadler, donde realiza las adaptaciones musicales para ilustrar la vida diaria del estado Portuguesa: el ganado y los llaneros, sus costumbres; la agricultura, la cosecha y sus hombres; el café, el tabaco, el anochecer llanero.

A comienzos de los años cincuenta llega un experimento insospechado que no tiene que ver ni con mambos, ni con cine de segunda categoría. Lo requieren unos señores norteamericanos con algo que llaman televisión. Van de parte de William H. Phelps, magnate radiofónico, con el aval de estar alojados en el Hotel Ávila, lo mejor de Caracas. Quieren que Aldemaro actúe al frente de su orquesta para unas cámaras que transmitirán por "micro-ondas" imagen y sonido desde una oficina en la avenida Urdaneta hasta el Hotel Ávila, donde un grupo selecto de personas disfrutará de la experiencia. Así ocurre la primera transmisión televisiva de prueba, por circuito cerrado, en los anales del país.

El estreno de la década trae consigo, además, condiciones familiares de estreno: en 1950 se casa con Margot Díaz Saavedra. Orquesta y toques se convierten, pues, en el medio de cubrir las necesidades económicas de la pareja, que pronto se transforma en familia con el nacimiento de Aldemaro "junior" en 1951. Pero el resultado comercial de la orquesta no es suficiente; aunque existen melómanos atentos a los esfuerzos vanguardistas, innovadores y virtuosos de la banda, más son los críticos que la acusan de carecer del swing tropical propio de Billo's o del mismo Luis Alfonzo: "La cosa parece tan niuyorkina que quizás resulte allá, ¿pero cómo funciona aquí una música de baile, buena para escuchar pero que no se baila fácilmente?". Aldemaro les termina dando la razón no sólo en lo de bailable para oír, sino en lo de apuntar su radar a otra parte: a la Nueva York de los mambos y del mejor jazz.

Nueva York: Sadel y *Dinner in Caracas* (1952-1956)

Margo, my woman	*(Margo, mi mujer*
you are to me	*Tú eres para mí*
lovely as spring time	*adorable, cual la primavera*
breathless to see	*sorprendente, de ver*
caress me, possess me	*consiénteme, poséeme*
want me a lot	*quiéreme mucho*
Margo, my woman	*Margo, mi mujer*
oh Margo, Margo	*Oh Margo, Margo*
Margot...	*Margot...)*

Letra y música de Aldemaro Romero

El reciéncasado se traslada al aeropuerto. En el camino acaso piensa en un credo personal que luego repite por años:

Dos caminos ofrece la aventura del aprendizaje a cada quien: la academia o estudiar solo, lo que siempre significa estudiar más. Gracias a Dios y a mis padres, tengo tres armas centrales para aprender: oído, memoria y talento. Además, no se puede desviar la atención hacia lo mediocre; el oído debe apuntarse al mero centro: ¿quiero saber quién es buen músico? Hay un método facilísimo, preguntarle a otro buen músico. ¿Quiero ganar conocimiento y fama de buen músico? Algo más difícil, pero también con respuesta: procurar que te acepte otro buen músico a su lado.

La mente cavila y cavila, mientras el funcionario corrobora sus datos de pasaporte con la apariencia física: 1,69 centímetros de estatura, tez blanca, ojos pardos, cejas gruesas y pronunciadas, bigote fino, orejas prominentes, contextura mediana. "No muy flaco ni muy gordo; ni alto, ni bajo; de pronto luce lo que llaman un ceño adusto, pero siempre da buen talante a la gente humilde. Si se ríe, la risa contagia y le aparece un aura como de artista... ojo con este elemento que no es tan normal como parece", así tal vez piensa el funcionario que lo ve tomar una y otra vez vuelos internacionales de Caracas a Nueva York, ida y vuelta.

Y sea, por cierto, que muchos aviones marcarán en lo adelante un constante destino viajero: La Habana, México, Nueva York... A esta última, "la ciudad de nadie" del doctor Arturo Uslar Pietri, va en un primer regreso con esposa e hijo bebé, para con ellos instalarse en el Hotel Robert Fulton. Al poco tiempo ocurre la natural mudanza a un apartamento alquilado, que haga las veces de hogar temporal en el *westend* niuyorkino, calle 73 y Broadway.

Ya en 1949 había visitado Nueva York en un primer viaje con Elisa Soteldo. Cosa de cumplir con el ritual turístico inicial y presentarse ante el maestro pianista puertorriqueño Noro Morales, quien evaluaba a los músicos latinos de esa época y los recomendaba con acierto: Tito Puente, virtuoso timbalero; Chico O'Farrill, arreglista de primer orden convertido en amigo y verdadero puente para llegar a su admirada orquesta de Machito, a quien Aldemaro entrega un arreglo por conducto de la amistad con ese maestro O'Farrill, el más insigne arreglista en la historia de la música afrocaribeña. Pero es la experticia del pianismo al servicio de *night clubs*, unida al correcto aprendizaje del inglés de puro oído y según su propio método –otro tanto haría luego con el italiano y el francés–, la que trae sustento económico y da continuidad a la regla de darse a conocer con buenos músicos que lo reconozcan como otro de ellos. Y entre esos buenos músicos, un ídolo venezolano resulta argumento central para esta historia: Alfredo Sadel.

Única es la relación de estos dos compatriotas en Nueva York. En Caracas habían tenido los bloques de El Silencio como vecindario común. La radio –"Caravana Camel" de Radio Continente– había dado oportunidad para algunas grabaciones de boleros. Pero es el *Chateau Madrid*, nigth club niuyorkino regentado por Ángel López, el sitio destinado a proyectar éxitos conjuntos y roles permanentes: Sadel canta, Aldemaro dirige y toca el piano. Una semana dice el contrato, pero la temporada se alarga por tres meses. La estancia del aplaudido dueto tiene dos caras y bien puede precisarse mediante la pluma de Carlos Alarico Gómez, en su biografía de Alfredo Sadel:

Después de conquistar plenamente el mercado nacional, Sadel decidió ir a probar suerte en el extranjero y con la ayuda de su apoderado Rodolfo Wellisch logra una cita con la empresa RCA–Victor, trasladándose a la ciudad de Nueva York... La suerte lo acompaña. La RCA le firma un contrato y le edita las canciones "Me queda el consuelo" (Aldemaro Romero), "Déjame" (Conny Méndez) y "Cerca de ti" (Rengifo–Sadel). En este nuevo triunfo estuvo acompañado del pianista Aldemaro Romero, su compatriota y amigo, a quien había hecho llamar en Nueva York a través de la firma disquera. La ocasión fue propicia para presentarse en el Jefferson Theatre ubicado en el Latin Quarter (...) debuta en el Chateau Madrid, propiedad del gallego Ángel López, con el acompañamiento de Aldemaro Romero, que había comenzado a trabajar allí como pianista. Alfredo salía a la escena en el show de medianoche, pero Aldemaro se presentaba en el cocktail hour, al principio de la velada, alternando su labor en el Copacabana y en el Cane Club.

Aparte de las tenidas con Sadel, quien efectivamente lo había requerido como acompañante y, pocos años después, como director musical de grabaciones en Cuba –"Alma libre" a dúo con Benny Moré– y en México –el disco *Fiesta latinoamericana*–, el camino de supervivencia niuyorkina resulta para Aldemaro exigente y competitivo al extremo. Noches se confunden con más noches en la intensidad de toques en el piano del *Chateau Madrid*, del *Copacabana* o del *Cane Club*, guarida *after hours* disfrutada por habituales de la bohemia nocturna. Gánsters del calibre de Sam "Momo" Giancana y Frank Costello lo aprecian y le requieren toques dominicales en el Copacabana; con ello le inducen, por el resto de su vida, cierto gusto por un tema literario y cinéfilo: las narraciones inspiradas en la Mafia y sus recovecos. Toca, lee, reposa, va a los estudios requerido por Jerry Lewis y Dean Martin para un arreglo de última hora: "*When you're smiling*".

El muchacho latino trabaja rápido y bien. Entrega partituras en favor de otro de sus ídolos orquestales, Stan Kenton; vuelve al pequeño apartamento, saluda a esposa e hijo, reposa. "Las mujeres de los músicos no tienen más remedio que aceptar muchas cosas", piensa Margot, mientras lo ve cambiarse por tercera vez en un día, para salir al encuentro de otro "tigre" noctámbulo marcado por encuentros con artistas, bailarinas, cantantes, *swingin' people* y hasta mafiosos en el típico *struggle for life* niuyorkino de los años cincuenta.

La RCA Victor, firma mayor en el mundo disquero, encuentra interesantes sus capacidades como arreglista y director. *Al Romero Quintet* pasa a formar parte del *staff* de jazz latino del sello disquero: un sonido a lo George Shearing, con vibráfono, saxo, piano y sección rítmica que bien puede ajustarse a *standards* del jazz –"It's only a paper moon", "That old black magic", "The nearness of you"–, a suaves mambos propios, o a cierto famoso son billero de su colega de orquestas caraqueñas, Stelio Bosch Cabrujas: "Campesino... di lo que vendes".

La fama de buen músico es reconocida por Herman Díaz, encargado de la producción latina de la RCA. Mambo y más mambo es la consigna de los tiempos y nadie mejor para cumplirla que Dámaso Pérez Prado, Noro Morales, Chico O'Farrill y Aldemaro, con el eventual nombre artístico de "Al Romero". La liga es insuperable, los contratos fluyen: *Al Romero and his Orchestra* consigue actuaciones en lugares distinguidos –*Rustic Cabin, Band Box, Vermouth Plaza*– mediante el sistema de tocar noches y semanas en lo que denominan *club dates*. Así, el año de 1953 atestigua su toque de orquesta en el teatro *Strand* de Nueva York, presentando un tema con nuevo ritmo, "The Creep", consistente en que el hombre de la pareja siempre marque pasos hacia atrás durante un marcado chachachá. Pero algo extra ofrece el disco de 45 *r.p.m* que lo contiene: tal vez se trate de la mejor grabación de mambos–chachachá realizada por venezolano alguno. Arreglos eficientes de composiciones ajenas, orquestación ingeniosa de afinada y precisa ejecución; colores particulares en la sección de trompetas y trombones, con y sin sordinas; solo pianístico de Al Romero dentro de los patrones de Noro Morales, modulación continua para enriquecer el *obstinato* rítmico acompañan tanto a "The Creep", como a la selección ofrecida en el otro lado del disco: "Chivirico Rhythm" ("Un Chivirico más").

Al Romero suscribe contratos con la *Robbins Music Corp* y *Peer Music Corp* para preservar los derechos de sus composiciones y eventualmente ofrecerlas al mercado norteamericano. "Mustafá", dedicada al comediante y amigo Amador Bendayán, de los tiempos radiofónicos de *Cada noche una estrella*, queda registrada y luego se graba en quinteto y coro con armonía, ritmo y melodía de Al Romero, y letra de su esposa, Margot Díaz de Romero. Algo le dice que cierta resonancia de tropicalismo norteamericano podría interesar al juvenil ambiente venezolano, tal vez a la espera de propuestas internacionales de jóvenes compatriotas que hacen carrera afuera y retornan al país para compartirlas.

En febrero de 1954 se concreta una vuelta a Caracas para tocar en carnavales y en la estación Televisa. El Círculo de las Fuerzas Armadas lo presenta con su orquesta por tres días; anima una noche de homenaje a las delegaciones de la Décima Conferencia Interamericana de Cancilleres de la Organización de Estados Americanos. Vuelve a Nueva York, no sin antes tocar Cuba −"La Habana de los cincuenta es lo más cercano a cómo imagino el paraíso terrenal", decía−, y a fines de junio, regresa de nuevo al país. Una orquesta de primer orden lo acompaña: 18 músicos, 3 cantantes y una *vedette*. La orquesta anuncia presentaciones en Radio Continente, en el Hotel Ávila y en otros centros sociales privados de Caracas. Hay mambos, chachachás, boleros, ritmo *The Creep* y demás esencias vanguardistas niuyorkinas que deben interesar a los jóvenes caraqueños. De nuevo el resultado no le favorece. No entiende la falta de apoyo a su propuesta y regresa a Nueva York adolorido, no sin antes declarar a la prensa "aparte de no haber sido recibido en un club de la capital de acuerdo a mi categoría, se permitieron criticarme abiertamente alegando que mi música era para negros".

En la capital del mundo la respuesta es diferente. Lo aplauden en el *Palladium*, centro del baile tropical de Machito y los dos Titos, Puente y Rodríguez. En Chicago lo contrata el *Starlite Room*, "el auténtico club de mambo", ubicado en la importante avenida Michigan de la ciudad. Allí los periódicos le llaman "La sensación del Este" y preludian más toques para el año 1955 en la ciudad de Nueva York; por decir: 10 de abril, un baile del domingo de Pascua en el *Manhattan Center*; del 14 al 20 del mismo mes, shows en el Teatro Puerto Rico. En un concurso de Artistas Hispanos de Nueva York, recibe el tercer lugar en la categoría "Orquesta", detrás de Tito Rodriguez y Tito Puente.

A pesar del trabajo incesante en los mambos bailables exigidos por la moda, o de los compensatorios toques en *night clubs*, algún tiempo hay para la creatividad propia. Siempre hay tiempo para desarrollar la idea importante y, sin prisa pero sin pausa, ver qué pasa con una especial novedad ofrecida: el 16 de junio de 1955 el diario *The Capital Times*, en Wisconsin, EEUU, publica una impresión crítica a otro tipo de propuesta del artista:

> *Si usted estuviera sentado en algún famoso nigth club de Caracas, o simplemente escuchando música por radio durante una visita a Venezuela, pues escuchará los sonidos de Aldemaro Romero y su orquesta de salón, editados por la RCA Victor en junio, titulado Dinner in Caracas. Es una música placentera, ligeramente americanizada por Romero, pero siempre retentiva de su peculiar colorido nativo.*

Otro periódico norteamericano, *The Cedar Rapids Gazette*, en su edición del 12 de junio del mismo año 1955, deja saber:

> *Un* supersmooth [extrasuave] *set de música para la serie de la RCA Victor: Dinner in Caracas. Una gema resulta esta selección de verdaderas piezas venezolanas tocadas por una lujosa orquesta de salón liderada por un venezolano, Aldemaro Romero. Ésta es música suave, sofisticada, de buen gusto e impecable ejecución (...)*

Mientras tanto, en Venezuela casi de inmediato se comenta: "¿*Dinner* "en" Caracas de Aldemaro?, ¿algo diferente a la explosión de mambos y la "música de negros"? ¿Suave música criolla con orquesta de salón que gusta a los americanos?... En los Estados Unidos de América, música de... ¿venezolano éso?... ¡Cuándo en mis tiempos!".

Para precisar el revuelo cultural que causa este *Dinner*, vale la pena, sí, retroceder un poco y precisar el año de 1952 en la vida creativa de Aldemaro. Se habló ya de su relación con Sadel, de sus aventuras como pianista, arreglista y director de orquestas bailables en la Nueva York del tiempo; pero faltó mencionar cómo una actividad conceptual muy importante también comenzó en aquel año. Se trata de una idea expuesta por Romero a Herman Díaz, productor de la división latina de la RCA. Algo que le rondaba la mente desde sus tiempos como pianista de Luis Alfonzo Larrain: ofrecer música venezolana en formato de orquesta de salón, a lo André Kostelanitz o Edmundo Ross. Melodías suaves, orquestadas para cuerdas, piano, saxofón, xilófono... tal cual las grabaciones hechas en Radio Continente y que lleva de muestra. La respuesta a la idea no es tan amable: ¿a quién le puede interesar la música venezolana?, ¿a los venezolanos? ¿Cuántos son según cualquier censo de los años cincuenta? ¿"Alma Llanera" interpretada por Xavier Cougat –su versión en *Bathing beauty*, película de 1944, la había internacionalizado– no es ya suficiente? ¿Hay allá siquiera 5.000 compradores?... Pues los hay, y para demostrarlo Aldemaro logra un acuerdo comercial de insospechadas dimensiones futuras: grabar un disco *Long Play* con 12 temas, con el compromiso de colocar comercialmente al menos 5.000 copias.

Poco a poco se logra el paréntesis en sus actividades como arreglista y director de conglomerados de mambos, chachachás, boleros y demás especies afrocaribeñas. A partir de ese año 1952 nace, pues, un concepto concretado en una grabación posterior en Nueva York, según rememora Aldemaro a la revista *Gente en ambiente* décadas después:

El disco se grabó en un salón de baile llamado Webster Hall, con una orquesta de gringos cuyo único integrante venezolano fue el bajista, un maracucho llamado Anthony Di Roma quien, a pesar de que llevaba 34 años en Nueva York, hablaba peor inglés que Julio Iglesias. En todo caso, se hizo la grabación en sistema monofónico. Eso fue en el año 1953.

Casi dos años transcurren para escuchar *Dinner* en una Caracas de junio de 1955, sorprendida por el resultado de temas venezolanos ofrecidos según una concepción contemporánea, renovadora al punto de crear orquestación contemporánea para joropos, valses, canciones y merengues esenciales, y preservarlos así por siempre. En los diarios de Estados Unidos, el departamento de prensa de RCA Victor deja saber: "El quinto disco de la serie *Dinner music* es una colección de auténticas tonadas venezolanas; indudablemente el mejor de la serie hasta ahora. La música es esencialmente hispánica, con elementos negros". *Dinner in Rio, Dinner in Buenos Aires, Dinner in Havana, Dinner in México City*, y ahora... "El ultimo de la serie es *Dinner in Caracas*. Una colección de auténtica música venezolana. Aldemaro Romero produce este disco a los 27 años".

El *LP* se agota en Caracas en las primeras semanas de su aparición. Las discotiendas anuncian listas para adquirirlo. Con el apoyo económico de Ricardo Espina, gerente de "Almacén Americano", sucursal de la casa disquera en Venezuela, cumplido queda el acuerdo de las 5.000 copias de la firma disquera y la proyección alcanza las 100.000 unidades. Los comentarios positivos respaldan la aceptación popular del disco. Manuel Rodríguez Cárdenas, poeta y crítico, escribe en *El Nacional* del 7 de agosto de 1955:

Pues bien ayer pasé por una tienda en la cual se anunciaba Dinner in Caracas. Vi muchas personas que trataban de adquirirlo y entré, a punto para llevarme el último álbum. El dependiente se puso a anotar en una lista los aspirantes que llegaron luego. Muchos pagaron por adelantado (...) Ahora lo estoy oyendo, complacido y emocionado. Creo, en primer término, que Aldemaro Romero le ha prestado un buen servicio a Venezuela al tratar su música con noble delicadeza para volverla asequible a todos los públicos. En este álbum, nuestros valses, danzas y canciones pueden viajar, seguros de encontrar en los pueblos más lejanos corazones capaces de entenderlos. Otro aspecto más importante aún, es el de haber hecho volver la vista a los oyentes venezolanos (...) Nuestra música resulta en general enaltecida y acoplada al oído medio contemporáneo, a pesar de la intromisión de las maracas en el valse y la horrible literatura, en inglés, con que se presenta el álbum; a pesar del mismo nombre, que sabe a billete de turismo "con propina incluida". Dinner in Caracas es un paseo gracioso, alado, por la torres y los campanarios del recuerdo.

Los comentarios negativos también dejan sentir su peso. Existe cierto rechazo de algún pequeño cenáculo de músicos académicos que no aceptan cómo un músico popular, autodidacto, *detritus de cabaret*, puede orquestar para cuerdas de esa particular manera. Otros espíritus particularmente sensibles sienten corrompida la esencia de la tradición venezolana que, según ellos, acompaña al inglés del título –aunque la gente ya lo criolliza como *"Dinner en Caracas"*–, o a temas como "Endrina" –alguien lo asoma cual "plagio del bambuco "Mercedes"– y "Conticinio". Tal es el grado de sensiblería, que hasta corren amenazas públicas de demandas judiciales. María Luisa Escobar, compositora presidente de la Asociación Venezolana de Autores y Compositores, advierte de posibles de derechos de autor no negociados al arreglar los temas del disco. El maestro Laudelino Mejías, autor de un "Contici-nio" versionado con plena libertad, aclara panoramas declarando a la prensa: "Ahora se ha dicho que yo voy a demandar a Aldemaro Romero. En todo caso hubiera demandado a la compañía grabadora". La sangre aldemareana afortunadamente no llega al río.

El concepto de *Dinner* "en" *Caracas* continúa, sí, con presentaciones exitosas en la Caracas de mediados de los años cincuenta y con más grabaciones para el sello RCA. En México el productor de la compañía Mariano Rivera Conde, apoya la idea de una secuela, pero dedicada a la música colombiana propia de un *Dinner in Colombia*. Otro título discográfico es *Venezuelan Fiesta*, nombre de un vanguardista joropo instrumental donde se mezclan sabores pianísticos del tema "*Salt peanuts*" –puro Dizzy Gillespie *be bopper*–, con cierta escritura cuidada que preludia una posterior búsqueda académica. *Flight to Romance*, otro LP, se complementa con un *Sketches in Rhythm* de música afrocaribeña ligada al jazz: puro "*big band* todos estrellas", presto a perpetuar con impecable tecnología los arreglos de Chico O'Farrill y del propio Aldemaro: "Almendra", "*Strangers in paradise*", "Mango mangüe" y "Nuestra canción" con el cantante Miguel de Gonzalo, "*Whatever Lola wants*" y las composiciones propias, "*Mambo fantasy*" al lado del excitante "*Rock'n mambo cha-roll*".

Tan incuestionable resulta la popularidad de *Dinner in Caracas*, que RCA Victor en la misma década todavía graba otro importante disco de música venezolana con orquesta de salón: *Venezuela*, editado en 1958. Aldemaro, por su parte, se atreve a experimentar como empresario disquero y a través de su sello Cymbal ofrece *Los Diablos* –al que siempre consideró su mejor disco–, también título de una composición de intención académica allí estrenada. Además, con el mismo Cymbal, ofrece versiones posteriores de *Dinner in Colombia y Caracas at dinnertime*.

40 años después de la idea inicial, Aldemaro reúne y dirige una especial Orquesta de Concierto para presentarse el 24 de julio de 1992 en la sala Juana Sujo de la Casa del Artista de Caracas. Se trata de tocar de nuevo aquel clásico repertorio inicial de *Dinner* y así celebrar cuatro décadas del concepto convertido en la grabación venezolana más importante y famosa de mediados del siglo XX. En el programa del concierto, distinguidos intelectuales venezolanos de la talla de Manuel Alfredo Rodríguez, Manuel Bermúdez y Napoleón Bravo consignan opiniones respeto a la obra y su alcance; entre ellas, tienen especial acento las

palabras del poeta Luis Pastori:

Hablar de la música moderna en Venezuela es hablar de Aldemaro Romero. Me refiero, en primer término, a la música popular. Es decir, a la de sus inicios triunfales, como epígono del tiempo de Billo Frometa y Luis Alfonzo Larrain. Fue una orquesta que conocí muy de cerca, porque aparte de mi amistad con Aldemaro, estaba Antonio Cortés, como promotor de la novel agrupación musical y a quien yo conocía desde mis andanzas culturales por Maracay, La Villa y La Victoria.

Muy joven, todavía, cabalgando sobre la veintena, Aldemaro hizo un disco en Norteamérica que se constituyó prontamente en un best-seller de las largas temporadas. Allí, entre otros hallazgos de buena instrumentación, están "Endrina" y "Luna de Maracaibo", piezas de hondo arraigo provinciano-sentimental, "Adiós a Ocumare", canción con que nuestras madres o abuelas aderezaban nuestras andanzas adolescentes por las casonas coloniales de época y, como corolario de más apoyatura lírica y universal, los "Besos en mis sueños" del maestro Brandt.

Sirvan estas palabras de afecto para los primeros 40 años de un gran acontecimiento de la música venezolana en el ámbito internacional, logrado por el siempre joven Aldemaro Romero.

El show de la televisión **(1956-1966)**

¡En el Ávila es la cosa!
Aldemaro Romero

Nueva York ofrecía al todavía joven músico buenos horizontes. Las grabaciones con la RCA Víctor, los toques en teatros y bailes conllevaban beneficiosas consecuencias financieras y artísticas. El lugar más competitivo del mundo, al contrario de su país natal, procuraba trabajo y lo ponía al lado de los mejores de su oficio. ¿Por qué no quedarse y continuar carrera allá?

Elaborar un concepto musical e imponerlo significa un logro; que el concepto sea aceptado y perdure ya es cosa más seria. El sonido *Dinner* era una primera pieza de gran éxito personal en Venezuela, según evidenciaban miles de discos vendidos, interés en conciertos y en shows de radio y televisión. Allí va pura venezolanidad contemporánea expuesta en hogares, consultorios médicos, cines, fuentes de soda y ascensores. El artista ha creado, ciertamente, un ícono de "modernidad" de la música venezolana de los años cincuenta; un punto de partida para desarrollar y profundizar futuras resonancias orquestales académicas, mediante un estilo que hasta sus más severos críticos le reconocen desde ese entonces como propio: "Eso suena a Aldemaro Romero"... ¿Por qué no tomar ventaja y regresar en la evidente cresta de esa ola?

Mucho se repite lo de no ser profeta en su tierra, poco se insiste en lo de querer serlo. Conseguir reconocimiento, éxito, frente a los tuyos. Hacer donde más profundo toca el ancestro, donde está el punto de partida siempre lleno de importantes presencias familiares, ante quienes también quiere reivindicar un destino que acaso influenciado por la noticia de la muerte de su madre, el 26 de julio de 1954, y por la de su padre, el viejo maestro Romero, el 15 de septiembre de ese mismo año. En una correspondencia última, quizá nunca recibida, Aldemaro le deja saber al padre cuánto de su adusta y admirada figura le da inspiración e impulsa una futura vuelta a la patria:

Nueva York, 11 de septiembre de 1954

Sr. Don
Rafael Romero
Bloque 5 H–4 El Silencio
Caracas, Venezuela

Querido papá:

Cada vez que por algún motivo, me quedo pensativo, o cuando leo por la mañana, o bien cuando hago alguna observación, me parece que no soy yo mismo sino tú, pensando, actuando o hablando. Y cada vez que una de estas cosas sucede me digo a mí mismo: ¿Verdad que me parezco mucho a mi papá? Y lo tengo a orgullo porque tú siempre has sido para mí el objeto de mi mayor admiración y un ejemplo que obligadamente tengo que imitar.

Cuando pienso en algo, o me formo un concepto de una situación me digo que lo mismo hubieses pensado tú pues sé que mis pensamientos obedecen al criterio que de las cosas de la vida me he formado teniéndote como ejemplo.

De ti he aprendido que todos los humanos son semejantes, sin distingos por razón de su raza o creencias y este concepto de humanidad que sin tus predicas quizá no hubiere adquirido, es para mí como un tesoro, porque me ayuda a aspirar para mí y para los míos como tú siempre hiciste, una mejor vida y porque me estimula a aconsejar a los que me rodean a superar en ejercicio de este derecho de igualdad.

De ti he aprendido a amar la libertad y a darme cuenta de que la condición natural de los humanos es esta: ser libre. De allí que mis sentimientos no conciben ni pueden tolerar a los déspotas, y si alguna vez yo hubiese de ejercer un poder o una autoridad sobre otros no tendría gestos de dictador, antes por el contrario velaría por el mantenimiento de la libertad y de su ejercicio.

De ti he aprendido a querer mi patria y sus cosas. Cuando me alejé de Venezuela, vine aquí decepcionado y dispuesto a olvidar y a renunciar al privilegio de haber nacido venezolano. Sin embargo con aquella carta que una vez me escribiste, refrescaste en mi memoria la nobleza de nuestra tierra e hiciste renacer en mi corazón la fe por mi tierra y su porvenir, y por mi amor de siempre hacia ella.

De ti heredé los hábitos y las buenas costumbres. Mi afición por la lectura es quizá el más preciado de tus legados. A través de su práctica, conozco en parte la historia del mundo y de los hombres que la hicieron y como una derivación de la lectura sé orientar mis pensamientos hacia lo justo.

De ti tomé el ejemplo para la estructura de mi personalidad. Ahora no tengo fortuna, pero si alguna vez falto a los míos podría muy bien hacerlos herederos de mi moral, mi honestidad y mi orgullo.

Ahora que desafortunadamente estamos tan alejados lamento no poder escuchar tus buenos consejos, y lamento no poder poner mis pensamientos en palabras habladas, pero sé que comprendes que durante todo este tiempo no ha estado en mis manos cumplir mis deseos, que no son otros que estar a tu lado, ver a mis hermanos y volver a mi tierra querida.

Haciendo un recuento, hasta hoy de mi vida, sé que me has llevado siempre de la mano. Desde cuando me levantabas en tus brazos para que recibiera un remojón en la quebrada de Macuto, en Valencia; hasta estos mismos momentos en que agradezco la influencia definitiva de tu personalidad.

Papá, lo que me queda por decirte ya tú lo supones. Sin embargo, volveré a escribirte para decirte otras palabras...

Aldemaro

Pd: Mi hijo, que hoy cumple tres años, siempre te recuerda de un día en que fuiste a su casa y le dijiste que no se sentara en el suelo. Entonces pone la voz ronca y la cara grave y te imita como si estuvieras hablando. Él te pide que lo bendigas lo mismo que yo, y Margot te saluda y desea bienestar.

Vale.

En mayo de 1956, con vista al éxito de *Dinner* –¿qué hubiera dicho el viejo maestro Romero?– el hijo cumple con el deseo paterno, convertido en suyo propio, de volver "a mi tierra querida" en compañía de Margot, su esposa, y de su pequeño hijo. Los planes laborales para la nueva estadía caraqueña son muchos, pero primero se atiende la instalación de la residencia familiar: de un alojamiento transitorio en la urbanización El Paraíso, pasa al alquiler de la Quinta Joropo en la urbanización Vista Alegre. De allí a la propiedad de la Quinta Criollísima, inaugurada en el año 1960 cual residencia familiar que atestigua la niñez de sus hijos Aldemaro *junior* y Ruby, y otro centenar de proyectos abordados antes del año 1967, cuando se divorcia por primera vez.

Para esta vuelta apoya los proyectos en experiencias que lo han rodea-do y le encuadran en su horma de artista hábil para aprender rápido y ejecutar bien: son años para abordar la naciente televisión, eso nadie lo duda. ¿Cómo hacerlo?, ¿cuándo?, ¿dónde?, ¿con qué rol? Todas las respuestas se concretan en los estudios televisivos nacionales.

Tiempo suficiente había transcurrido desde el curioso experimento de transmisión privada desde la avenida Urdaneta al Hotel Ávila, a la instalación oficial de la señal del canal 5 de la Televisora Nacional en 1952 y de las subsiguientes señales de Televisa, canal 4 –futura Venevi-sión–, y Radio Caracas Televisión, RCTV, canal 2. Ya 1954, en una vista había ofrecido una serie de conciertos en Radio Caracas Televisión, preludiando el momento de asumir la televisión venezolana como un proyecto comunicacional tan intenso, que acaso sólo puede resumirse escuetamente. Volvamos al año del retorno, 1956.

El 4 de julio debuta en RCTV en el programa *Teatro General Electric*. Allí por un par de meses dirige una orquesta de 36 profesores, para ofrecer música venezolana e internacional todos los lunes a las 7:30 de la noche. Las emisones iniciales van marcadas con un indudable tono cultural, reforzado por un maestro de ceremonias de impecable trayectoria musicológica y literaria: don Alejo Carpentier.

Dirección musical, arreglos, discos y viajes marcan el resto del año. La salida al mercado de *Dinner in Colombia* acompaña alguna visita a México para acompañar a Alfredo Sadel. Varias actuaciones en la radio balancean las actividades hasta comienzos del año 1957, cuando viaja a Cuba para formar otra novedosa orquesta de baile, donde quiere fusionar sonidos y rítmicas que van del joropo al chachachá.

En mayo viaja a Estados Unidos. Realiza gestiones empresariales e inaugura una productora de discos en Caracas de la cual, naturalmente, será su director artístico: Cymbal, que ofrece en julio el disco *Criollísima* –grabado en Ciudad de México en 1956–, presentado en un concierto en la Concha Acústica de Bello Monte, presta a celebrar el 24 de julio, natalicio del Libertador, con música de autores criollos. El concierto es concebido como ocasión para escuchar y aprender sobre la música nacional y sus autores, mediante charlas complementarias de iniciativa pedagógica. Radio Cultura, por su parte, transmite las iniciativas de difusión pública de estos conciertos comentados.

"La idea es mantener el entusiasmo y la actitud hacia lo nuestro", dice Aldemaro y marca compases de sus celebrados *Dinner* ahora convertidos en *Criollísima* con más aplausos, presentaciones y, sí, controversias que quizás por primera vez apuntan la curiosidad cultural hacia la música popular: se hace pública la confusión sobre quién es el verdadero compositor de "El chivo" (i!), pieza atribuida a Alberto Gonzalez Padrino; otro tanto sucede con el valse "Que bellas son las flores", mientras Aldemaro sonríe con la picardía de haber abierto una interesante compuerta de reflexión artística, que décadas después –octubre de 2007– da materia de emotiva reflexión al crítico Einar Goyo Ponte, en un panegírico dedicado al creador de *Criollísima*:

Domingo en la mañana. Debo tener unos 7 u 8 años. Mi padre ha colocado, de nuevo, un disco inevitable. Mientras contemplo a la exuberante Susana Duijim de la portada y su título Criollísima, escucho una orquesta potente, suntuosa, como nunca he escuchado otra, tocando lo que para mí sería el primer y definitivo contacto con la música venezolana. Al reverso, había una imagen no menos impresionante. Un hombre joven, en mangas de camisa, enfrentaba con un rostro de inaudita expresividad y un ademán imperioso a un grupo de prójimos armados de violines y cellos. Yo escuchaba, por ejemplo, el primer surco, "Concierto en la Llanura", con aquellos cornos alzándose sobre las arpas torrealberas, el tutti carnavalesco de la "Selección de merengues", o la amable cadencia de "Canta tú, ruiseñor", y todo encajaba. La música salía de aquellas manos, de aquella expresión de los ojos. Al lado, papá me decía: –Aquí suenan las botellas de refresco, aquí las flautas de juguete, aquí el efecto de la banda callejera–, y mis oídos auscultaban, en esos ingenios ya no una música, sino un asombro, que no ha amainado en el resto de mi vida, su culpable era Aldemaro Romero, responsable también, quizás el más temprano, de que la música se hubiese convertido en esta pasión de vida diaria, y acaso de que ustedes me estén leyendo hoy, en este espacio.

El jazz es otro género central de actividades en ese tiempo. Jacques Braunstein, su vocero central con el programa radial *El idioma del jazz*, es ferviente admirador de la banda de arreglos atrevidos que escucha desde hace un tiempo en los estudios de Radio Continente. La amistad con Aldemaro nace y, también, los toques de *jam sessions* –descargas, en términos criollos– del *Cristal Room* en Bello Monte, y el nacimiento del

Caracas Jazz Club con sus Festivales Internacionales de Jazz, donde, para una función del 18 de agosto de 1957, Braunstein invita al reconocido guitarrista Barney Kessel al Teatro París caraqueño. Kessel es recibido por el quinteto de Aldemaro y luego toca con las orquestas de Billo Frómeta y Luis Alfonzo Larrain.

Más fructífero no puede resultar el año. En septiembre Aldemaro asume el cargo de director musical de Televisa; de inmediato aborda sus funciones con la idea de hacer más venezolanos los programas y, a la vez, más internacionales sus contenidos. Quiere incluir tanto músicos criollos como extranjeros en una búsqueda de calidad, de excelencia bien a partir de géneros "clásicos" –ya para entonces hablaba de composiciones propias con instrumentos de viento; de una suite de piano, flauta y percusión–, o de géneros "populares".

Aldemaro requiere las mejores presencias nacionales y extranjeras en la programación a su cargo. Insiste en que los artistas extranjeros deben ser tratados aquí en la mejor forma: "No es cuestión de ponernos a mirar cómo nos tratan a nosotros en otros sitios, porque si es cosa de venganza, quedamos en el caso de que hay que actuar mal si otros lo hacen así". En su prédica acomete el plan de recibir a genios de la talla de Maurice Chevalier o Louis Armstrong, con quien alterna el 30 de noviembre de 1957 bajo fórmula de gran baile en el Hotel Ávila, y luego, el 3 de diciembre, lo invita con sus *Armstrong's All stars* a un memorable programa transmitido desde el Estudio B de Televisa. Lo de tratar bien al invitado internacional complementa la idea de erradicar con su presencia la mediocridad en la televisión; allí un punto de partida y llegada de una gestión con la reformulación de algunos programas en pauta, la eliminación de otros, y el bautizo de ciertos proyectos propios: el *Teatro Televisado*, la actuación de su banda todos los martes a las diez de la noche y, para 1958, la serie de *Conciertos Firestone*, presentándolo con su Gran Orquesta de Conciertos, en programas semanales en el horario estelar de las 9:00 de la noche.

Todavía el año 1957 da para más, por no decir para menos. Un accidente automovilístico ocurrido el 13 de octubre algo le empaña la actividad incesante, aunque el percance no pasa de una breve estadía en el Centro Médico, algunas contusiones menores y la pierna derecha rota. De otra parte, el sentido de responsabilidad gremial lo impulsa a conformar la directiva de la Asociación Musical como secretario general y vocero principal. Billo Frómeta, socio fundador y personaje central en la música popular, es excluido de la Asociación no sin antes sancionarlo con la absurda prohibición de laborar como director en Venezuela. El ambiente chismorrea al decir que se trata de una venganza del secretario de la Asociación por un problema de faldas. Aldemaro deja clara su posición al salvar su voto en la injusta resolución que, finalmente, impone a Billo a un par de años en la oscuridad.

En diciembre Aldemaro hace un viaje corto a los Estados Unidos y en 1958 recibe un importante premio farandulero: el "Guaicaipuro", correspondiente a un inolvidable 1957 presto a señalar cuán difícil resulta seguirle los pasos a la actividad febril en cuanto a creatividad se refiere. Una muestra de esta dificultad va en las confiables memorias del doctor José Hinojosa, cantante integrante del grupo vocal Los Cuatro, coprotagonista de los proyectos televisivos aldemareanos a partir de 1959, cuando ya cesa su dirección musical de Televisa pronta a convertirse en Venevisión:

> Al regreso de un viaje a los Estados Unidos, donde va a grabar su disco Los diablos en 1958, Aldemaro le da a Julián Romero –director y arreglista de Los Cuatro– las partituras de "Ansiedad", "Río Manzanares", "Juramento" y "Las Tenazas", piezas a las que les había agregado voces. Los Cuatro debutan en público en un programa de Aldemaro transmitido por televisión: la inauguración del Teatro Altamira con la Orquesta de Salón, el día miércoles 19 de agosto de 1959. Dos meses después, el grupo comenzó a trabajar en el programa Conciertos Firestone (...) El cuarteto al comienzo no tenía nombre, la gente lo llamaba "El cuarteto de Julián", "Cuarteto Romero" o, como queríamos, "Los Cuatro chicos" pero, Aldemaro, el día de la inauguración del Teatro Altamira, sugirió que se eliminara la palabra "chicos" y se dejara el nombre de Los Cuatro, como en efecto ocurrió.
>
> Durante el primer trimestre del año 1960, Aldemaro recibió unas grabaciones de canciones del festival de Benidorm, escogió las piezas "Comunicando" y "Todo es nuevo" para grabarlas con Los Cuatro. El grupo se reunió con Aldemaro en su casa de Vista Alegre, y en una mañana montaron el arreglo de "Comunicando", grabado esa misma tarde y al día siguiente, con el stamper recién grabado en disco de 45 rpm, se fueron al Show del Junior en Radio Caracas Radio, donde lanzaron al aire la pieza que se convirtió en un hit musical (...) Una semana después, grabaron "Doña Mentira" –otro

hit musical– y *"El tordito", pieza poco conocida de Aldemaro. Por espacio de dos meses, "Doña Mentira" y "Comunicando" estuvieron entre los primeros seis hits musicales de la radio caraqueña.*

Se idea, se ensaya, se graba y se difunde. Todo de inmediato, sin pérdida de tiempo. Puntual y bien hecho, de lo contrario, arde la Troya aldemareana. Ni un minuto que perder. Así son las cosas de producción televisiva, disquera, radiofónica o cinematográfica de los años sesenta. Adelante los proyectos diversos siempre girando alrededor de sus shows televisivos: participación en la película *Dos gallos en palenque*, protagonizada por su compadre Guillermo Rodríguez Blanco –"Julián... Julián Pacheco"–, producción de grabaciones de Alfredo Sadel –"Pipipiriguá" y "Al galope"– , o las primeras versiones de "Carretera" y "Cimarrón" a cargo de Los Cuatro y el exótico cantante Germán Fernando. Mario Suárez, ícono de la música criolla, aparece en su show y le graba el joropo "Timotea", incluido en un posterior disco Cymbal dedicado a "Maracaibo", con intervención de Los Cuatro, Héctor Cabrera, Los Naipes y de Ramón Márquez Villa, frecuentes invitados al espectáculo televisivo del maestro.

El Show de Aldemaro Romero debuta en RCTV el domingo 15 de octubre de 1961, a las 6:00 de la tarde. Una orquesta de 27 músicos acompaña las emisiones. Mirla Castellanos, Inés Barrer, José Guardiola y Los Cuatro toman puestos de solistas, mientras seis modelos–bailarinas dan complemento escénico. Un par de atracciones extranjeras y otro par de artistas venezolanos estructuran el show de acuerdo con desarrollos temáticos: el jazz, con imágenes de Nueva Orleans; Brasil y su música, con imágenes del Cristo de Corcovado; "Siete hombres y un destino" de cantinas y talanqueras al estilo del oeste norteamericano y vestuario de vaqueros... Música venezolana, con los estrenos de sus temas "Doña Mentira", "El Tordito", "Carretera", "Cimarrón", "Timotea", *rock and roll* sesentoso con "La plaga", "Despeinada" o "Presumida"... Carnaval, música caribeña; un programa relacionado con frutas de todas clases, vestuario de campesinos y temas como "El frutero", "Mango mangüé", "Corazón de melón"... Programas con personajes de historietas o un homenaje a "El Mago de Oz", con decorado y vestuario similar al de la película... Un par de programas navideños muy satisfactorios para quienes trabajan en ellos.

Los Cuatro, al igual que Germán Fernando, actúan en el show, forman parte integral de la orquesta y por ello también participan en el posterior programa *Lluvia de estrellas* de la Televisora Nacional, canal 5, con la Orquesta de Salón de Aldemaro. También actúan en el Hotel Tamanaco y en el Hotel Ávila, en los carnavales de 1961 y 1962, junto con las orquestas de Chucho Sanoja y Tito Rodríguez. Esta vez la gente celebra, escucha y baila con una *big band* que supera expectativas –"Camarones" y "Lumumba" son temas centrales– y preludia el afinque salsero de años por venir. Un par de discos compartidos con Chucho Sanoja y su orquesta preservan el lema legado por Aldemaro a la crónica caraqueña del siglo veinte: "¡En el Ávila es la cosa!":

En 1961 se escuchó el grito de "¡En el Ávila es la cosa!" –precisa el crítico Eleazar López Contreras–, creado por Aldemaro para los carnavales de ese año, en ese hotel. Alrededor de 1967 alternó con Tito Puente y La Lupe en El Molino de Tony Grandi –cantando Germán Fernando y Rolando Laserie–, pero, años antes, se había presentado con éxito en diversos escenarios carnavalescos –como el Club Casablanca– y en otros locales, acompañando a artistas como Daniel Santos y otros.

Los carnavales de principios del sesenta no sólo alternan la propuesta bailable con la televisiva, sino que dan pie al trío de piano, bajo –José "El Negro" Quintero, a quien dedica su clásico joropo instrumental "El Negro José"– y la batería de "el Pavo" Frank Hernández, presta a los toques nocturnos ofrecidos por los bares de mejor reputación de Caracas –*Nichol's*, *Le Garage*, *Le Mazot*– y a una gira de dos semanas a Curazao, con Los Cuatro ahora incorporando la voz de un joven músico aldemareano de futura importancia: Alí Agüero.

La actividad incesante apunta al "lleva-y-trae" artistas de los estudios de televisión a la sala de la Quinta Criollísima, para afinar ensayos diurnos y encuentros noctámbulos. Chabuca Granda, Tito Puente, Trini López, Monna Bell, Xiomara Alfaro, Chucho Martínez Gil, Olga Guillot, Fernando Albuerne y Gilberto Monroig son nombres convocados en estos tiempos en que, según recuenta José Hinojosa,

Aldemaro era el "motor" que movía todo lo relacionado a su programa de televisión. Tenía un motivo diferente para cada show en donde era productor, animador, anfitrión, diseñaba la escenografía, el vestuario de los artistas, selección de las canciones que debían ir en el programa, dirigía la orquesta, entrevistaba a los artistas, hacía comentarios acerca de las canciones, ofrecía anécdotas, chistes y ocurrencias que se sucedían durante las transmisiones, y a las que les sacaba partido (...) sin embargo, era muy estricto con los ensayos y los programas; exigía puntualidad y hacer las cosas, sino perfectas, cercanas al 100% (...) Muy meticuloso con todo cuanto hacía. Revisaba y analizaba hasta el mínimo detalle y no se quedaba tranquilo hasta que todo estuviera como él lo deseaba. Era exigente con todos y consigo mismo.

La idea del perfeccionismo a la hora de producir televisión es compartida por otro actor principal del tiempo, Aldemaro Romero Díaz, su hijo mayor, quien recuenta experiencias del modo siguiente:

Aparecí en varios de esos shows como artista invitado y lo acompañé en muchas grabaciones (...) Al principio esos programas también eran en vivo, pero luego vio la transición al video tape. Él decía que los que eran en vivo eran de mejor calidad porque la gente sabía que no había oportunidad de repetir, por lo que ponían más atención. Él planificaba esos programas de una hora de duración al máximo detalle. Por ejemplo, dónde iban las cámaras, el movimiento de ellas, la escenografía y, por supuesto, toda la producción artística. Hasta los comerciales eran en directo y él se encargaba de la producción (...) Una vez al mes uno de esos programas, que se transmitían los domingos a las 6:00 de la tarde, los dedicaba a conciertos con su orquesta para música que variaba desde cosas que él había escrito al estilo de Dinner "en" Caracas, a piezas cortas de música clásica, al tiempo que comentaba acerca de esas obras para mejorar la educación del publico. Lamentablemente esos programas especiales tenían muy bajo rating y tuvo que abandonar esa práctica para poder mantener el programa a flote. Él luego llevó el programa al canal 8, CVTV.

Con el programa *Venezuela canta y baila*, transmitido por CVTV, canal 8, a partir de su inauguración en agosto de 1964 y hasta 1968 –en 1966 dedica un paréntesis a la producción discográfica de *Dinner en Caracas. Vol. 2*, grabado en Italia–, se cierra este periplo imbatible en cuanto a presentaciones televisivas de muy cuidada producción y entrañable memoria.

Amador Bendayán y el maestro Aldemaro, años setenta

Dos Aldemaro: padre e hijo

Caracas 400 años:
El Círculo Musical (1967)

Caracas celebra su cuatricentenario en el año 1967. Cantos y festividades se ven empañados por un terremoto de muy trágica impresión; sin embargo, ciertas manifestaciones culturales también dejan algún saldo positivo:

Una caja de 15 discos *LP* y 5 libros, del mismo formato de los discos, reta cualquier imaginación dispuesta a desentrañar su contenido. Música, literatura, historia, política, teatro, artes plásticas y crónica de la ciudad conforman un solo objeto creativo de intención sincrética. ¿Puede esto lograse en un buen nivel?, ¿da para tanto el versátil eclecticismo del inquieto músico autodidacto ahora convertido en sofisticado editor?

"Todo se puede si hay poder de observación —capacidad de fusilar, según los envidiosos— talento, puntualidad y esfuerzo sostenido", dirá Aldemaro mientras presenta su colección *Caracas 400 años*, cual joya de "El Círculo Musical", singular club de discos a domicilio que sigue el ejemplo de las costumbres melómanas de otros países: pague una cuota y reciba en su casa de la moderna Caracas —o de la moderna provincia nacional—, discos selectos, *LP high fidelity, stereo sound*, de todos los géneros posibles. De cierto, reciba cada semestre tres ofertas discográficas, y hasta la oferta de una obra maestra de integración cultural dedicada al importante cuatricentenario de la ciudad.

Quince volúmenes discográficos y 5 libros representan, pues, el objeto en cuestión. Cada volumen va en carátula doble con imágenes que reproducen obras de los artistas plásticos venezolanos más distinguidos del tiempo: Alirio Rodríguez, Alirio Palacios, Luisa "la Nena" Palacios, Humberto Jaimes Sánchez, Jacobo Borges, Régulo Pérez, Luis Guevara Moreno, Bárbaro Rivas, Rafael Manzaneda, Harry Abend, Víctor Valera, Manuel Espinoza, Virgilio Trompiz, Pedro Barreto, Manuel Quintana Castillo, Ramón Vásquez Brito, José Antonio Dávila, Tito Salas y Pedro Ángel González, entre otros, prestan obras para ilustrar portadas sustentadas en monografías contenidas en las contraportadas. Pedro León Zapata no solamente contribuye con una de las portadas, sino entrega ilustraciones y caricaturas para muchos de los volúmenes, impecablemente diseñados por Jesús Emilio Franco.

El contenido de cada volumen está dedicado a un tema desarrollado en un cuidado cuaderno interno de unas 30 páginas, sustentado por la reproducción sonora discográfica. Cada cuaderno contiene imágenes fotográficas, reproducciones documentales e ilustraciones complementarias a ensayos firmados por especialistas de distinguida trayectoria. Van así, por decir, escritos del general Eleazar López Contreras, Ángel Rosenblat, Rafael Caldera, Federico Brito Figueroa, René de Sola, Gustavo Machado y Cecilia Pimentel en un volumen dirigido al recuento histórico plural –¿no será muestra suficiente de pluralidad la diversidad de las tendencias políticas de los autores?–, todos ellos acompañados con la narración fonográfica de eventos políticos contemporáneos en la voz de Rafael Poleo. Y eso es tan sólo un volumen de los 15 que componen la colección.

La reflexión de artes, costumbres, eventos políticos, música y un amplísimo etcétera contiene el pensamiento y arte de las más ilustres mentes venezolanas del tiempo. La convocatoria es abierta, sólo decantada por la calidad del ponente. Cada volumen puede ser objeto de análisis crítico que va desde apreciar el cuento de la música popular en voz de Simón Díaz con el canto de Magdalena Sánchez, a los discursos de Simón Bolívar en voz de Fernando Gómez con dirección y montaje de José Ignacio Cabrujas; a las voces de Arturo Uslar Pietri narrando su cuento "Ponte, el fritero", del mismo Cabrujas leyendo "Siembra" de Miguel Otero Silva", o de Rafael Briceño con Román Chalbaud recontando la *Historia del Teatro en Venezuela*.

El décimo volumen contiene un ensayo musicológico de especial interés para la historia de nuestro biografiado: *Caracas y algunas consideraciones de la música popular* es su estudio a profundidad del inicio y desarrollo de la música en la ciudad. Tanto el estilo como el contenido sostienen un autor que en nada desentona con las firmas que lo acompañan. Es más, su reflexión ofrece novedades interpretativas esenciales para abordar un tema afín a las exposiciones expuestas en la colección por José Antonio Calcaño, Luis Felipe Ramón y Rivera, Ramón Díaz Sánchez o los hermanos Nazoa. Aldemaro debuta, pues, como investigador y cronista de un alto calibre.

El crítico Eleazar López Contreras –consocio y directivo del Círculo en compañía de Antonio Cortés, Jesús Emilio Franco y, por supuesto, de Aldemaro–, deja saber otro ángulo de gracia y desgracia de la colección cuatricentenaria:

> *Tres de esos quince álbumes retrataron treinta años de música popular en Caracas, a cargo de Aníbal Nazoa, Aldemaro Romero, Simón Díaz, Eleazar López Contreras y Aquiles Nazoa, quien de paso, obtuvo el Premio Municipal de Prosa de ese año por su libro (de la colección) Caracas Física y Espiritual. Los cuatro libros restantes estuvieron a cargo de Ramón Díaz Sánchez, José Antonio Calcaño, Idelfonso Leal y José Nucete Sardi (...) La colección fue editada con motivo de la celebración del cuatricentenario de Caracas, pero su lanzamiento fue chucuto, ya que pocos días después ocurrió el terremoto que afectó la ciudad y dejó temblando a los promotores de la colección, al paralizarse las ventas por ese motivo.*

Otro proyecto de la magnitud del Círculo Musical es la *Historia de la música, contada por un oyente*. En este caso la firma de Aquiles Nazoa se responsabiliza por "echar el cuento" de la música, en escritos de crónica universal contenidos como apoyo a volúmenes disqueros, que ilustran fonográficamente disquisiciones de Nazoa que van desde los griegos hasta algo más allá del romanticismo. Un ejercicio de caraqueñismo universal de pura cepa, digamos, plasmado en una obra cuyo alcance tampoco ha tenido la proyección adecuada a la magnitud creativa que ofrece como cuidado producto editorial.

Director de orquestas de salón

Gremio, publicidad y *Epopeya* (1960-1969)

El Círculo Musical llega a tener miles de afiliados y, de paso, da otra dimensión al quehacer del artista: Aldemaro músico, sí, pero también editor, hombre de cultura, renacentista tropical en un hemisferio donde quien mucho abarca, si tiene el talento y la disposición necesaria, algo importante aprieta. Puede así la ironía crítica haber parafraseado en favor del hombre curioso, incesante, hiperactivo, que ya en la década del sesenta se presentaba a sí mismo "si no el mejor, de seguro el más versátil de todos los músicos venezolanos", así su imponente empresa del Círculo desfallezca luego de unos 10 años de actividad, en algún momento de los años setenta: "*Ars longa, vita brevis*", acaso sentenciaría un Aldemaro con cerca de media vida recorrida y más rumbos prestos a acentuar su comprobado espíritu versátil, quizás trashumante.

La versatilidad viajera a comienzos de los sesenta apunta a Nueva York, México, Madrid –su "Adios Madrid" en voz de Carmen Sevilla–, o al mejor recuerdo de las visitas a La Habana paradisíaca, con o sin el Alfredo Sadel que ahora le canta y graba "No tengo a nadie". Música, cine, radio o televisión, entonces van complementadas con empresas discográficas, publicitarias y el ejercicio del gremialismo de tono artístico y político... ¿Pueden hacerse bien tantas cosas a la vez? ¿Sufre el quehacer musical por tanta actividad diversa? Valen las interrogantes, pero la consabida respuesta negativa esta vez tiene diversos tintes de excepción y giros insospechados.

La publicidad y el mercadeo son áreas que le demarcan y condicionan desde sus comienzos en la radio. El término "comercial" parece derivar de la palabra "comer"; además: música sin paga jamás suena seguido. Eso lo sabe por el necesario patrocinio que debe tener toda música promocional instalada en un medio de comunicación. De allí su interés en fijar experiencias en la materia y aplicarlas según y como se pueda: la propuesta del "Concierto Firestone", según le confiesa a su amigo Jacques Braunstein, viene del enorme éxito que tuvo la compañía en Norteamérica al proponer un concierto diario, y como la empresa cauchera tiene intereses "comer–ciales" aquí...

Ideas novedosas sobran, entusiasmo también. El ambiente nacional de estreno democrático luce propicio. Fundar una empresa de publicidad es acaso una consecuencia natural de la necesidad de afianzar la economía personal. Así, para mediados de los sesenta pone en marcha una agencia publicitaria en compañía de Simón Díaz, José Salazar, René Estévez y del compadre Guillermo Rodríguez Blanco, a quien conoce Ruby, su pequeña hija, como un curioso padrino de confirmación: "Cóntrale papi, ¿dónde me encontraste a este padrino que llaman 'Julián Pacheco'?". Y este papá, cual el mejor creativo publicitario, le responde: "En un patio de bolas criollas, hija".

Creatividad sobra en la empresa. Para muestra, los *jingles* publicitarios son ofrecidos cual composiciones ingeniosas, pegajosas, aptas para el mercadeo de empresas y productos. Unas veces estos *jingles* son aprobados por clientes y público: "Las salchichas Oscar Mayer, significan...", otras no lo son, pero redefinen los ejercicios musicales en cuestión: "Catuche" es una composición en principio destinada a jingle del Banco Mercantil y termina siendo un importante *vals–jazzy* de fusión de jazz, orquesta de cuerdas y música venezolana.

Pero no todo es creatividad publicitaria. Siempre atrae el sentido gremial conectado a las naturales ideas políticas de todo quien se cultiva en las artes y el pensamiento. Y Aldemaro no puede ser excepción a esa regla: ya para los años cincuenta era significativa su conexión con la Asociación Musical del Distrito Federal y estado Miranda, de la que llegó a ser su secretario en los tiempos del impasse con Billo. La Sociedad de Autores y Compositores de Venezuela (SACVEN) lo cuenta entre sus miembros desde los comienzos impulsados por su fundador, el maestro Luis Alfonzo Larrain.

Las ideas políticas como hombre de cultura también lo llevan a simpatizar con su antiguo amigo y maestro, Raúl Ramos Giménez, quien en 1963 se separa del partido Acción Democrática para formar una opción adeca, pero de oposición. No falta quien entonces vea en ese apoyo la causa de alguna medida judicial sufrida por las oficinas publicitarias, entonces ubicadas en La Campiña, donde también tiene sede la empresa disquera Cymbal, y donde se gestaba un proyecto de trascendente importancia: El Círculo Musical con la proyección y trascendencia ya mencionada.

De vuelta a los viajes, 1969 es año central en la proyección creativa. El cine con *La Epopeya de Bolívar*, filme de Alessandro Blasseti, protagonizado por Maximiliam Schell, Rossana Schiaffino, Paco Rabal en el papel de José Antonio Páez y Tomás Henríquez en el rol de Negro Primero, le da motivación para componer la banda sonora de la película, que ese mismo año lo lleva a Moscú a competir y ganar el Premio de la Paz de los Intelectuales Soviéticos.

Aunque la película dista de ser memorable, dos obras musicales de ella se inscriben en nuestro acervo cultural: "Tema de amor", expuesta con variaciones en diferentes rítmicas criollas, y otro tema de amor alternativo, competidor de su reconocido valse "De Conde a Principal", cuya partitura entrega en un sobre a un motorizado, con el solo título de la dirección donde están filmando la película: Quinta Anauco. Y así queda titulado por siempre... Pero 1969, además, es tiempo de otra onda de actividad musical de proyección y consecuencias centrales en esta historia.

Grupo Onda Nueva

Onda Nueva **(1970-1973)**

Viajes, bohemia, vida acelerada pero muy productiva marcan tanto los finales de los años sesenta, como los principios de la década del setenta. Estancias en Estados Unidos y Europa van combinadas con proyectos caraqueños e internacionales de toda índole. Cubre fechas con Alfredo Sadel en el Florida Park del muy madrileño Parque El Retiro; también lo hace en otro local llamado Las Brujas: "Adios Madrid" es una composición dedicada a la ciudad que canta Carmen Sevilla y "Hablaré catalán", una canción de amor dedicada a la figura de la bella actriz catalana Mónica Randall... El gusto por España es musa para futuras composiciones académicas, mientras la Caracas cuatricentenaria –que le ha impulsado la edición conmemorativa del cumpleaños de la ciudad–, pues se le acompasa al maremágnum del artista divorciado pero lleno de premios, toques, romances, rumbas, carros y... En 1969 un segundo accidente automovilístico de envergadura lo deja enyesado por 45 días. Nada que hacer más que pedir un papel de pentagrama para escribir notas e ideas musicales. Allí ocurre la creación de la Onda Nueva.

Un número típico folclórico llamado "Aragüita", que había interpretado Magdalena Sánchez, su gran amiga, le da materia a la creatividad convaleciente: "La música fundamental de Venezuela es el joropo, voy a trabajar sobre el joropo". Piensa, también, en su amigo Jacques

Braunstein –rumano, venezolano y muy brasileño– quien le trajo unos discos de la música brasilera de moda, llamada *Bossa Nova*. Bien sabe del paso por Caracas de Agostinho Dos Santos, Carmen Costa y João Gilberto con el sonido latinoamericano del momento. Reflexiona, igualmente, sobre los logros del genio argentino Astor Piazzolla, que cambió el tango tradicional por lo que es ahora la música "Piazzollana". Algo debe hacerse aquí.

Siente la necesidad de sintonía con las ondas brasileñas, argentinas y jazzísticas ligeras del tiempo. Venezuela debe incursionar en el desarrollo musical contemporáneo. Y debe hacerlo desde sus esencias, con el conocimiento profundo de rítmicas criollas tradicionales transformadas de manera peculiar, tal cual lo habían hecho en su momento los maestros Pedro Elías Gutiérrez, Juan Bautista Plaza, Lionel Belasco o Moisés Moleiro. Cosa de innovar con formatos orquestales y fusionar esencias criollas con géneros urbanos internacionales, aprendidos por el incesante ejercicio profesional de un hombre de 40 años cumplidos.

Aldemaro inquieto trabaja desde la cama habilitada en la casa de su hermana Rosalía, "mi hermanager". Le pide ayuda a su amiga Teresita Bustillos –graciosa enfermera de ocasión–, a su hermano Godofredo –"quítame el yeso como sea"–. Anota y deja todo listo para cuando, ya recuperado, corra al piano a tocar una versión muy especial del joropo "Aragüita" compartida con el bajo y la batería; puro trío de jazz, digamos, para crear música venezolana. La experiencia va como sigue.

Frank "El Pavo" Hernández, virtuoso baterista, da golpe de maracas a sus baquetas para aportar el elemento rítmico; Jorge Romero, "Romerito", entiende el acople armónico de su bajo al piano. Llaman al saxofonista hispano–argentino Tito Iglesias para grabar algunas pruebas, *demo*, en los Estudios de Radio Continente. Muestran la grabación al empresario Wilhelm Ricken, representante de la CBS Columbia, quien apoya la producción de un disco de nueva música venezolana, donde además cantarán María Elena Peña, Zenaida Riera, Alí Agüero y José Ramón Angarita.

Ocho canciones originales –entre ellas "Doña mentira"– acompañan versiones del seminal "Aragüita", y de *Fool on the hill* acompasada a

"*Hey Jude*", temas Beatles demostrativos de la versatilidad de la propuesta primera dada a conocer en 1970. Van en los temas el ritmo, la armonía, el "tumbao", digamos así, de lo que Jacques Braunstein bautiza como la Onda Nueva, para dar título al disco y pie a la ilustrativa nota de la contraportada:

Aldemaro presenta la Onda Nueva, su onda nueva, que es su más reciente creación dentro del campo de la música popular. Con ella responde Venezuela al movimiento musical mundial, aportando una voz propia. Se remite en su ritmo al joropo, básicamente, y en sus letras está presente el mensaje de nuestra era dicho por la juventud, las palabras de los enamorados contemporáneos, las angustias de los solitarios, la conformidad de los abandonados, el optimismo de los esperanzados, la ternura poética de los padres jóvenes y la receptiva coincidencia de quienes vibran junto con los sentimientos de una nueva familia humana (...) Y es siempre bailable y hermosa, y suena con ecos de jazz, a veces. Y al llegar aquí ya no es de Aldemaro. Es de Venezuela, para que otros compositores, Chelique, Hugo, Juan Vicente, Luis Alfonzo, Cruz, Oswaldo, Dioni, todos, hagan Onda Nueva. Para que vengan de fuera a escucharnos decir y cantar con una voz venezolana que se hará universal. Para que no imitemos, para que las estrellas de otras partes del mundo copien a Mirla, a Alfredo, a José Luis, a Henry, a Mirtha. Para que la música venezolana sea música del mundo, cantada y tocada y aplaudida por todos, en todas partes.

El disco no tuvo inicialmente buena aceptación. Se comentaba, lograba cierto aprecio de melómanos y aficionados "aldemareanos", pero no alcanzaba notable popularidad. En noviembre del año 1970 –precisa el crítico Jesús Rafael Pérez– Aldemaro participa con "El Catire", la que considera "tal vez mi mejor canción", en el IV Festival de la Canción Moderna. El maestro Billo Frómeta gana el festival con su tema "Por favor, muchas gracias", en voz de Luis D'Ubaldo y "El Catire", con el grupo Onda Nueva, llega de último. Aldemaro no entiende. Billo, presunto rival, reconoce que su propia "cancioncita premiada" no tiene nada qué buscar con el calibre compositivo de "El Catire".

Consciente de la dimensión de la propuesta, Aldemaro insiste con una nueva producción discográfica ofrecida a los hermanos Antor, representantes de la RCA Víctor. Con la incorporación de las cantantes

Agueda y Yolanda Rojas, graba un segundo disco titulado *Pajarillo en Onda Nueva*. Los resultados positivos cambian el panorama.

Escuchar clásicos de nuestro folclore en nuevo formato es una estrategia útil desde los tiempos de *Dinner in Caracas*. Formato de Onda para "El Pajarillo", "La bella del Tamunangue", "El Gavilán" o "Alma Llanera"; el estreno de un futuro clásico de su propia inspiración –"Tonta, Gafa y Boba"–, y los arreglos de canciones de reconocida aceptación –"Moliendo café" de Hugo Blanco, "Ansiedad" de Chelique Sarabia, o "Esperaré" de Armando Manzanero– dan proyección al segundo disco de la Onda. El éxito económico acompaña la popularidad creciente del género.

La Onda ciertamente se expande. Nacen *jingles* y temas comerciales concebidos en el estilo. Jesús Emilio Franco obsequia el logo de un tucán setentoso. Los publicistas adivinan una sonoridad particular que se ajusta a la idea de próspera modernidad del país, identificada por joven música y jóvenes músicos dirigidos por un maestro cuarentón, pero inmerso en la innovación. El grupo gira por el interior del país y regresa a Caracas.

Programas, shows de televisión, *boites y night clubs* escenifican la Onda. Y dentro de las escenificaciones iniciales, ninguna como la inauguración del "Novgorod", sofisticado *nigth club* ubicado de un costado del famoso Teatro Altamira caraqueño. La reseña del evento, a cargo del crítico Eleazar López Contreras, da texto al disco *El fabuloso Aldemaro y su Onda Nueva*, mientras deja saber la atmósfera del género y su tiempo:

¿Qué hubo de especial durante el mes de diciembre de 1970 en Caracas? ¿Hallacas? No. ¿Aguinaldos? Tampoco. ¿Espíritu navideño? Menos. ¿Entonces? Veamos.

4 de Diciembre. 10:00 pm: se inaugura el Novgorod, uno de los centros nocturnos más lujosos del mundo, con un homenaje a Aldemaro Romero, artista que contrata para cuatro semanas durante 1970.

4 de Diciembre. 12 pm: el Novgorod cierra sus puertas. El público no cabe en la sala. Todo es euforia.

5 de Diciembre. 3:00 am: Aldemaro presenta su espectáculo "Onda Nueva" con las pimientosas voces de Agueda y Yolanda, fortalecidas por "Ho Chi Minh" y "Engelbert Humperdinck", como él mismo introduce a los cantantes Alí Agüero y José Ramón Angarita, todos respaldados por Jorge Romero en el contrabajo y el virtuoso Frank "ex–pavo" Hernández en la batería, y por supuesto, por el mismo Aldemaro en el piano.

Después de una larga estadía en España, el maestro Romero regresa a Caracas para actuar en el Novgorod.

"Pero míralo, ¡sí está igualito!", suspira una admiradora. Se encienden las luces del escenario. Una tarima eléctrica acerca el piano a la audiencia.

"Buenas noches, damas y caballeros", anuncia Aldemaro. "Bienvenidos al Novgorod".

¡It's show time! ¡Llegó la hora del show! Aldemaro hace su propia presentación. Agueda y Yolanda sonríen del lado izquierdo del piano. Alí y José Ramón se muestran serenos al otro extremo. Al fondo, El Pavo y Romero —el bajista— intercambian sonrisas.

"¡Viene!", marca Aldemaro. El tema arranca aplausos. Es juguetón. Las voces del cuarteto brincan con incalculable precisión en un juego de fonemas de corte moderno que luego dan paso a un solo de piano "del maestro" que toma vuelo cuando el ritmo cambia a Onda Nueva.

Aldemaro: "La Onda Nueva nace en Caracas. Es una música nueva que rescata todos los aires de la música venezolana para convertirse en una expresión genuinamente moderna capaz de competir con la mejor música popular de otros países".

Aplausos.

Las interpretaciones se suceden. Igual los chistes. Aldemaro demuestra ser todo un showman. Mantiene un monólogo de altura durante media hora. Su suave pero penetrante estilo satírico arranca aplausos y suscita comentarios. El público se muestra receptivo. Los muchachos toman sus cuatros, dan palmas sincopadas —cantan Agueda y Yolanda, muestran su pimienta criolla, sonríen, se mueven, dan palmas— y cantan. El cuarteto es A–Número Uno. El público aplaude la euforia cacofónica de "Moliendo Café", el estilo contrapuntístico de "El Pajarillo", la comercialidad de "Tonta, gafa y boba", la novedosa presentación del tradicional "Alma Llanera", la profundidad armoniosa de "Por ahí, por ahí". Aplauden a Aldemaro. La Onda Nueva se impone. El éxito no tiene precedente en la historia de los espectáculos en Caracas. El show se repite todas las noches, incluyendo el 31. La casa prorroga a Aldemaro, quien permanece una semana más en el Novgorod interpretando hasta 20 canciones por noche, de las cuales 12 —las más aplaudidas— forman este disco.

¿Que qué hubo de especial durante el mes de diciembre de 1970 en Caracas?

No sería las hallacas, ni los aguinaldos, ni el espíritu navideño.

Novgorod se convierte en sitio *in*, entre otros de la Caracas *de nuit* del siglo XX. Puede allí oírse la Onda en vivo, pero también se escucha en discos, en radio y televisión. Es aceptada por un público selecto y, en cierta medida, tiene su cuota de popularidad... ¿Puede quizás internacionalizarse y llegar a ser una suerte de *Bossa Nova venezolana*? El intento se hace en una magnitud importante.

Los años 1971, 1972 y 1973 testimonian las tres ediciones del Festival Onda Nueva. El Teatro Municipal de Caracas da escena a notables compositores, arreglistas, directores, músicos y cantantes nacionales e internacionales que presentan temas concebidos dentro del género. Un sentido de armoniosa competencia se transmite al público presente en el teatro, y al masivo público que enciende las señales de Radio Caracas Televisión en 1971, o de CVTV, canal 8, en 1972 y 1973.

La lista de ilustres participantes es nutrida y no deja lugar a dudas. El esfuerzo de ver música venezolana proyectada en todo el mundo consiste en aplicar el viejo principio aldemareano de "tocar con músicos buenos", y son músicos de rango universal los que en verdad nos visitan y tocan Onda Nueva: Astor Piazzolla, Milton Nacimento, Tito Puente, Juan Gabriel, Dave Grusin, Armando Manzanero, Rubén Fuentes –compone "La bikina"– Frank Pourcel, Paul Mauriat, Catherina Valente –luego grabaría una notable versión de "El Catire"–, Marco Antonio Muñiz, Monna Bell, Joe Sample, Chucho Avellanet, Agostinho Dos Santos, Manuel Alejandro, Horacio Ferrer, Claudia do Brasil, Luisito Aguilé, Olga Guillot, Daniel Riolobos, Marlena Shaw, Helmut Zacharías, Charlie Byrd, Elmer Bernstein, Laurindo Almeida, Zimbo Trio, Nancy Wilson, Sammy Cahn, Augusto Algueró, Francis Lai, Consuelo Velásquez, Chico Novarro, Letta Mbulu, Juan García Esquivel, Eliana Pitman, David Raskin, Tom Scott Quartet, Juan Carlos Calderón y su viejo amigo de los tiempos niuyorkinos, Chico O'Farrill.

La capacidad de convocatoria es incomparable en nuestro ambiente. Se trata de darnos dimensión internacional, de distinguir nuestro quehacer musical y, al hacerlo, ofrecer a los artistas nacionales en una escena distinguida, notable. Y así, en el mismo escenario de los invitados internacionales, se potencia la proyección de talentosos directores, compositores, arreglistas, músicos y cantantes nacionales: Alí Agüero o Carlos Moreán, incipientes directores y suerte de defines de Aldemaro en los festivales; Frank "El Pavo" Hernández –soporte rítmico central de las orquestas–, Pablo Schneider, Freddy León, Las Voces Blancas, Mirna Ríos, Raquelita Castaños, Henry Stephens, Magdalena Sánchez, Eduardo Cabrera, Willy Pérez, Arnoldo Nali, Aníbal Abreu, María Teresa Chacín –futura musa vocal–, José Luis Rodríguez, Mirla Castellanos, Anselmo López, Morella Muñoz, Mirtha Perez, Frank Quintero, Chelique Sarabia y, por supuesto, el amigo y socio musical de los años 50, Alfredo Sadel.

Figuras del cine y del modelaje del *jet set* universal adornan y alternan con las beldades criollas. Ira Fürstenberg, Elsa Martinelli, Karen Black e Ivette Mimeux compiten de tú a tú con Carmen Victoria Pérez o Susana Duijim. Carlos Moreán, alumno y ayudante favorito de Aldemaro, queda deslumbrado y pide oportunidad. Por fin, al tercer año de actividades festivaleras recibe la oportunidad de arreglar y dirigir la orquesta. Ve su nombre en la puerta del camerino principal del Teatro Municipal. Se refocila frente al camerino fumándose sendo cigarrillo en el pasillo del teatro, mientras luce un *smoking* que ha comprado para su estreno absoluto como director. Justamente en ese momento pasa Aldemaro organizando, ordenando, y le pregunta:

–¿Carlitos, el *smoking* es tuyo? Te lo digo porque el cantante que actúa justo antes que tú, no lo trajo. Hazme el favor, te lo quitas y se lo prestas.

Queda Moreán en calzoncillos en el camerino. Otro cigarrillo mientras espera que el fulano cantante termine y finalmente le toque su turno, por cierto muy criticado por una señora que en primera fila le comentó a su amiga: "Ay, pero mira tú lo mal que están estos directores jóvenes... Este Moreán hasta le viste el *smoking* al cantante anterior".

Anécdotas van y vienen. En febrero de 1973, durante el tercer Festival, Aldemaro arregla y dirige su emblemático "El negro José", en versión para orquesta y dos pianos a cargo de Rose Marie Sader y Guiomar Narváez, quien se encuentra embarazada de su primera hija. Al finalizar la interpretación Renny Ottolina, celebérrimo presentador televisivo, le dice a Guiomar: "!Magnífica versión! ¡Qué bien tocaron las tres!".

Mirla obtiene su premio en la primera edición con "Fango" de Manuel Alejandro; Claudia de Brasil gana el segundo encuentro. Letta Mbulú, cantante surafricana, recibe el galardón del tercer festival al interpretar "Hareyé", composición de su esposo Caiphus Semanya, el 17 de febrero de 1973. Henri Charriere, *"Papillon"*, cobra fama por su novela y recibe en contraprestación un tema con su nombre cantado por Mirla, "La Primerísima", y compuesto por el "secundísimo", pero general en jefe de los Festivales.

Nancy Wilson, imponente cantante de jazz y *rythm and blues*, visita el país un mes después del tercer Festival –finales de marzo, comienzos de abril– para presentarse en el Hotel Caracas Hilton y en CVTV, canal 8 de televisión, interpretando Onda Nueva con Aldemaro. Cuentan que la Wilson cae en manos de un galancete criollo cuya memoria la aleja por siempre de cualquier frontera cercana a Caracas.

Se habla de una futura presencia de Frank Sinatra y de Tony Bennett. La ciudad vibra. Cualquier ensueño de universalidad cabe en los planes futuros. La crítica internacional, de su parte, toma cuenta de la sustancia misma de los eventos. Nat Freeland, redactor de *Billboard Magazine* comenta:

A diferencia de la mayoría de los concursos musicales, el Festival de Onda Nueva es el show de una sola persona. Aldemaro Romero solo, fundó y organizó el evento; es además un gran pianista–compositor–arreglista–director de estatura mundial, cuyos trabajos ya son altamente reconocidos en Europa y los Estados Unidos. Y esto es sólo para empezar: Aldemaro domina, por lo menos, la animación en cuatro idiomas, además de ser el creador del ritmo Onda Nueva, el cual está ayudando a divulgar a través de su Festival.

El propio protagonista "del show de una sola persona", años después da cuenta a la prensa de algunos aspectos de interesante balance artístico respecto a la Onda y sus Festivales:

La propagación de la Onda Nueva en el ámbito internacional se basó en varios hechos que resultaron en un indiscutible balance en pro de Venezuela y su cultura musical: la famosa fuga en Suramérica de la película Butch Cassidy And The Sundance Kid, en la que Burt Bacharach escribió las canciones después que escuchó el disco de Onda Nueva que le hicimos llegar. Los dos siguientes discos que grabó la CBS Columbia en Nueva York: Charlie Byrd en Onda Nueva y La Onda en inglés. El disco La Onda Nueva en México con la solista Monna Bell, grabado en México. La serie de discos producidos en Italia por Aldo Pagani, con varios artistas italianos cantando mi repertorio. Los exitosos discos de Paul Mauriat y Franck Pourcel editados en Francia, con un arreglo bellísimo de "Quinta Anauco" (...) El éxito musical de mi canción "De Repente" grabado por innumerables artistas, en distintas versiones musicales y con letras en diversos idiomas.

Aquellos comienzos de los setenta le impulsan una mudanza de residencia alternativa a Beverly Hills, Los Ángeles, Estados Unidos de América. Son idas y vueltas no solo en busca de los contactos necesarios para los Festivales, sino en procura del tono internacional acaso inspirador de los arreglos y las letras que, junto con su hija Elaiza, realiza para el musical *Hans Christian Andersen* que luego estrena Elisa Soteldo con "Las Voces Blancas". La estadía en Beverly Hills, además, es propicia para retornar a la composición académica con los primeros movimientos del "Oratorio a Bolívar", obra con textos del poeta Pablo Neruda y Gustavo Luis Carrera, que le comisionara el Gobierno venezolano con motivo del sesquicentenario de la Batalla de Carabobo. También compone allá la "Suite Andaluza", un tríptico para oboe y arpa estrenado en Caracas, 1973, en honor a la primera dama Alicia Pietri de Caldera.

De igual manera, 1973 marca el año final, ya se dijo, de los Festivales de la Onda Nueva. Sin embargo, un particular esfuerzo de internacionalización produce un viaje de Aldemaro a Europa. Lo acompañan Frank "El Pavo" Hernández –baterista–, Michael Berti –bajista– y siete cantantes, entre quienes se cuenta una futura estrella del pop nacional, Frank Quintero.

En junio se ofrece "El mes de Venezuela" en París, evento financiado por el órgano de turismo del Estado venezolano, que lleva allá a una cantidad de artistas venezolanos del momento: Yolanda Moreno y su grupo, Los Tambores de Barlovento y Cora Belkis, Anselmo López, Las Cuatro Monedas y Gregory –que se perfilaba como una suerte de Michael Jackson criollo–, las Bucaneras y, por supuesto, el grupo Onda Nueva.

Son cuatro semanas intensas de funciones en el segundo piso de la torre Eiffel, cada noche más llena que la otra. Alrededor de 30 exitosas presentaciones, *deuxiéme étage* –refiere Aldemaro– ocurren en el símbolo arquitectónico de la Ciudad Luz; además realizan presentaciones en la televisión francesa. Hay esperanza en esta Europa que lo aplaude y motiva al editor musical Aldo Pagani, quien en su firme deseo de internacionalizar la Onda Nueva, sabe que no vale la pena regresar a Venezuela porque los gastos del Festival son difíciles de costear y allá la novedad de la Onda ha cesado.

Le toca el turno a Roma, con actuación en la RAI, televisora del Estado italiano. Luego en Nápoles, con visita a la casa de Sofia Loren y grabación de un *LP*. Allí, en Italia, se consigue una invitación para participar en el Festival de Atenas. El festival se realiza en el Estadio Olímpico de Atenas repleto de público disfrutando del verano vacacional. Elaiza concursa con la canción "Tú y yo formamos una multitud"; se obtiene la distinción del mejor arreglo y la mejor dirección. "Durante la deliberación del jurado, la Onda Nueva presenta una canción griega –recuenta Ruby Romero– y aquello se viene abajo. Fue la primera vez en mi vida que presencié 70.000 luces de yesqueros y fósforos para ovacionar a mi papá y su grupo. Una emoción que jamás olvidaré". El propio Aldemaro refrenda la memoria de forma muy especial: "La noche de nuestra actuación recibimos la ovación más laudatoria y estruendosa de mi vida de artista".

El tour laboral de la Onda europea sigue: Milán con grabaciones y presentaciones televisivas; Ginebra, con varias noches de actuación para el público suizo y una presentación televisiva. Suecia y Dinamarca, animando el verano sueco en Estocolmo y en Copenhagen –los parques municipales de Gröna Lund y Tívoli–, un toque técnico en España para participar en un programa de Televisón Española y, después, el regreso a París.

Hay planes de ir a un festival en Turquía, cuando recibe una llamada del presidente Rafael Caldera, quien, ya al final de su mandato, quiere que dirija los espectáculos de su nuevo coso deportivo–cultural, El Poliedro. Frente al llamado del mandatario, el artista siente el requerimiento de la patria, y por ello pone en pausa la vibración de la Onda.

La pausa dura un par de años. Algo revive la Onda en Europa a mitad de los setenta –como se verá más adelante–, para finalmente caer en un largo letargo hasta comienzos de este milenio, cuando la joven generación comenzó a revisar y recrear sus posibilidades.

El paso de los años ha reiterado cómo la Onda Nueva conlleva profundas connotaciones tanto musicológicas, como de importante crónica cultural. Su estudio, en uno u otro sentido, excede con mucho el propósito biográfico de estas páginas. Ni el mismo maestro Aldemaro, en su libro *El joropo llanero y el joropo central*, puede hacer más que una breve recapitulación, dando información básica acerca del género y sus particularidades cual hecho cultural trascendente dentro de la crónica nacional. Sean, pues, sus palabras, las que por ahora den colofón a este particular y muy importante capítulo de su actividad creativa: "A todos los que participamos en aquella campaña, su evocación y sus recuerdos aún nos llenan de orgullo; el orgullo de haber trabajado apasionada y positivamente por nuestro país".

Aldemaro y George Foreman, campeón mundial, 1974

Knock out en el Poliedro de Caracas (1974)

La mente inquieta del artista se debate entre la música y las empresas que le dan panorama futuro. Su condición de inteligente versatilidad lo empuja a proyectos de índole diversa, en oportunidades demasiado desligados de su propia condición artística.

La labor editorial, el área de la publicidad y mercadeo, la misma producción de orquestas y programas de radio –*discjockey* en Radio Caracas Radio de los programas *Grandes Maestros del Jazz* y *La Discoteca de Aldemaro*–, poco a poco lo han impulsado a aceptar un ejercicio empresarial tan atractivo como arriesgado: la gerencia pública de contorno político. En otras palabras, manejar la programación inicial de El Poliedro de Caracas.

La inauguración del espectacular coso de cultura y deportes ocurre el 2 de marzo de 1974 con un concierto de la Orquesta Sinfónica Venezuela dirigida por el maestro Primo Casale. Aldemaro acepta el encargo del doctor Rafael Caldera, presidente de la República, de ofrecer al menos un espectáculo de repercusión internacional que dé a conocer la magnitud de la obra inaugurada. Asume así la de dirección artística de El Poliedro y, de inmediato, plantea cuatro espectáculos; entre ellos, la producción del evento internacional requerido.

Yolanda Moreno, la Orquesta Sinfónica Venezuela y Morella Muñoz son los artistas nacionales de los concieros iniciales. El evento internacional se debate entre ideas diversas de los directores del Hipódromo La Rinconada, instituto al que se encuentra adscrito El Poliedro. El tono debe ser distinto a lo musical. Se habla de Cantinflas, de la Escuela de Equitación de los caballos de paso vieneses... de pronto interviene Aldemaro: "Que yo sepa, hay sólo dos espectáculos que tienen interés a nivel universal. Uno, el Campeonato Mundial de Futbol y el otro es una pelea de boxeo por el Campeonato Mundial de Peso Completo. Nada mejor para El Poliedro que el encuentro entre George Foreman y Ken Norton, nada".

Los directivos oyen atónitos la propuesta, se burlan de ella. ¿Quién es capaz de mover los hilos necesarios para producir algo tan complejo? ¿Puede quien habla, músico de oficio, también ser promotor de boxeo? Pues Aldemaro puede a través de los viejos amigos niuyorkinos, patrones de *night clubs* y negocios similares. Y casi de inmediato inicia contactos mediante la llamada telefónica a un tal "Entratter Jack", antiguo *maître* de aquel *Copacabana* de Costello y Giancanna donde había sido pianista dominical favorito.

El proyecto se aprueba. Contactos y contratos profundizan el montaje del evento y el día 26 de marzo de 1974 ocurre el *match* boxístico. La pelea cuesta 350.000 dólares y efectivamente se transmite a todo un mundo nacional e internacional que, a su vez, toma noticia de la existencia de El Poliedro de Caracas. Pero hay un detalle que nadie puede prever: George Foreman es un portento de pegada y fuerza boxística a quien Ken Norton, vencedor del propio Muhammad Alí, no puede aguantarle ni dos *rounds*.

Tres caídas en el segundo asalto marcan el final de la pelea por *knockout* y el comienzo de los problemas con Radio Caracas Televisión. La empresa que transmite la pelea en exclusividad, cuenta con promotores publicitarios a la espera de los valiosos minutos intermedios de un *match* de al menos siete u ocho rounds. No es culpa de nadie, pero la aventura empresarial refiere cómo las ventas publicitarias se dividirían por mitades entre El Poliedro y el canal de televisión en un evento que, por efecto del súbito final, tan sólo repite una y otra vez los dos *rounds* de la pelea. Ni seis minutos de tensión dramática, nada que hacer. Demasiada verdad deportiva para las agencias de publicidad que cuestionan sus obligaciones contractuales, no sin antes darle a Romero condición de chivo expiatorio.

La enorme desilusión de la experiencia produce pérdidas en más de un sentido. Además del desajuste económico, genera la típica falta de solidaridad con la gestión que fracasa y, en consecuencia, pide una salida de Romero, cosa que ocurre mediante el acta final de entrega de cuentas a satisfacción de los directivos del Hipódromo. Una importante suma que el Instituto le adeuda, aunada a la comedia de enredos propia del "quién-le-debe-a-quién-qué", con investigadores de impuestos y medidas judiciales en roles principales, le complementan profundos motivos personales para marcar al continente europeo cual residencia de autoexilio.

Atrás una vez más quedarán sus ensueños creativos dedicados al país. El rumbo ahora apunta a Europa, donde abordará el futuro con lo que mejor sabe hacer: música.

Retrato con cítara

Exilio europeo (1974-1978)

En junio de 1974 llega Aldemaro a Madrid. Va acompañado de sus hijas Elaiza y Ruby, quienes ven en su prima Mariela, allá domiciliada, un punto de apoyo. La idea está en residenciarse y, nadie lo duda, para ello es necesario ofrecer nuevos proyectos: Onda Nueva útil para popularizar una "canción de verano" de tal éxito, que abra puertas y asegure la economía doméstica. Será alguna canción de tendencia griega compartida e interpretada por la voz de Elaiza, y algo de tono brasileño, también de moda en el tiempo. Graban así un sencillo –45 r.p.m– con versiones en español de "Irene", la canción griega, y de "Ese mar es mío", la canción brasilera.

La Madrid del tiempo franquista no es tan abierta a las nuevas tendencias, menos aún a oficios ligados a la bohemia nocturna. De hecho, viven en un pequeño apartamento alquilado donde no se puede hacer "ruido" después de las 10:00 de la noche, y los sonidos noctámbulos del piano vertical del apartamento, pues son considerados eso: "ruido". Vale así una mudanza a Mirasierra, suburbio de Madrid, para continuar trabajando en crear un grupo estable con sus sobrinos Michael Berti Soteldo –desde entonces bajista de la Onda–, Cesar Berti Soteldo, Junior Romero y, por supuesto, Elaiza como cantante principal.

Alguna proyección tienen los toques y el salero hispano del compositor, pero resulta aún más importante el hecho de grabar con el grupo dos discos *LP*. Uno con el apoyo de Augusto Algueró y el otro de forma independiente. El disco que graba en los madrileños Estudios Audio Film, luego consigue negociación con la CBS–Columbia Records, que también ha lanzado al mercado en 1974 *The New Wave*, presentando al guitarrista de jazz Charlie Byrd. Van en la grabación madrileña temas del calibre de "Toma lo que te ofrecí", "Poco a poco" –acaso la mejor canción de amor venezolana de todos los tiempos–, "Coplas a La Polaca" y el clásico "De repente". En esas grabaciones compone y ofrece algo que, a decir de su hija Ruby,

es su canción de despecho más profunda y hermosa: "De Polo a Polo", llena de su despecho por un país al que el amó profundamente y que sentía que lo había defraudado, abandonado, que no lo había apoyado, ni le había dado la oportunidad de defenderse (...) Si lo hubieses visto como yo lo vi, entenderías la importancia de cada frase y de cada palabra de esa canción.

La estadía en Madrid atestigua los años difíciles del recomenzar, en un medio camino de vida pleno de responsabilidades personales y familiares. Allá deja su mejor esfuerzo para educar hijos, hacerlos viajar por toda Europa y recibir amistades en la linda casa de Mirasierra. Elaiza profesionaliza su carrera de cantante –ya había grabado un disco que la presentaba como solista de Onda Nueva–, Aldemaro jr. estudia en la Universidad de Barcelona y Ruby va a Suiza. Obra en el fuero interno de Aldemaro un espíritu indomable capaz de manifestarse de muchas formas, hasta en la capacidad de mudar una y otra vez sus pertenencias sin que se le pierda siquiera un solo disco o libro... O en la entereza de atender viajes de trabajo cuantas veces sea necesario para procurar el sustento: visita México para obtener distinción en el Festival de la Canción Latina en 1974. Visita Miami para recibir la "Superestrella Internacional" en el Music–Expo del año 1975. Visita Palma de Mayorca con el grupo y Mirtha Pérez, para concursar en el Festival Musical Mallorca 1976 y lograr el premio al "Mejor Orquestador y Director" por su canción "Oye Viejo Tonto".

Son tiempos de muchos compromisos económicos y contadas fuentes de trabajo. A pesar de los esfuerzos de su representante Carlos Montenegro y de las grabaciones ofrecidas al mercado, España no resulta la mejor plataforma para su música. Allí prefieren otros estilos, otras cosas. Tal vez su envergadura como conferencista dotado para disertar, en el Instituto de Cultura Hispánica, acerca de la influencia de la música española en la América colonial; quizás uno que otro toque pianístico en lugares de segunda categoría que no está dispuesto a aceptar como destino. Prefiere ir a Londres con otro derrotero motivado por su amiga y musa del canto de sus composiciones, María Teresa Chacín. Y así lo hace en 1975.

Los proyectos londinenses, la difícil estadía en una sociedad altamente competitiva, ciertamente cuajan de mejor forma. El punto de partida, ya se dijo, es María Teresa Chacín, cantante de altos kilates en la escena venezolana que le había enviado a Madrid el *demo* del disco *Mi querencia* con una versión de "De repente". Aldemaro acusa recibo en una carta de tono premonitorio incluída en el arte final del disco:

Madrid, 14 de agosto de 1974
Querida María Teresa:

Gracias por tu reciente álbum, que tuviste la bondad de enviarme con el Toco Gómez, nuestro mutuo y buen amigo. Me han gustado todas las canciones, tanto las tradicionales como las nuevas, no sólo porque demuestran la capacidad creativa de los compositores venezolanos, sino porque, especialmente, revelan tu versatilidad y no dejan duda sobre tu habilidad como cantante. Los arreglos son bellos y de una delicada fuerza subyacente. ¿Son de Alí Agüero? Si es así me alegro doblemente (...) Perdona que no pueda dejar de ser egoísta pero, ¿harías un álbum conmigo? Ojalá que sí. Entretanto, me acompañaré con tu voz y tus canciones (...) Va todo mi afecto, Aldemaro.

La invitación se concreta algo después. María Teresa consigue el patrocinio del Banco Hipotecario Venezolano. Aldemaro graba la base rítmica del proyecto –piano, bajo y batería– en Madrid, y con esas cintas bajo el brazo se va a Londres a montar la orquesta y grabar en compañía de la cantante y de reputados músicos de la London Symphony Orchestra y Royal Philamonic Orchestra. El disco tiene una edición inicial privada, de obsequio; luego va a las discotiendas nacionales, destinado a un público selecto, presto a escuchar "Quinta Anauco",

"Así eres tú", "Calor", "Tema de amor" y "Poco a poco" con la magnificencia de arreglos sinfónicos y la profunda empatía del compositor y su distinguida cantante intérprete.

La estadía en Londres también fundamenta un primer período en la composición académica aldemareana. Ciertos pasos previos, en ese sentido, ya se advertían en la intención de las composiciones "Venezuelan Fiesta" o "Los Diablos", temas del concepto *Dinner* de los años cincuenta, propuestos para escuchar con "orquesta de salón", que no para tararear o bailar. Otro tanto sucedía con la premiada música para la película *La Epopeya de Bolívar*; con "Tres temas venezolanos", estrenado en 1968 en RCTV, o con la "Suite Andaluza", como ya se mencionó, estrenada en Caracas, 1973, para honrar a la primera dama Alicia Pietri de Caldera. Quizá los esfuerzos académicos continuos pedían paréntesis en las actividades incesantes, febriles; tiempo de ocio aprovechado en atender el oficio musical que, precisamente, más requiere de tiempo: la composición académica de intención sinfónica.

Cámaras de televisión, estudios de grabación, *boites* y *jet set* aparte, ¿qué compositor no sueña con su música escuchada en silencio por auditorios selectos? ¿Puede llegar a esto un hombre autodidacto, *detritus de cabaret* según lo acusara algún distinguido colega? Afortunadamente, el tiempo ocioso debido al poco requerimiento de trabajo comercial –algún *jingle* publicitario bancario–, aunado a su irónico espíritu creativo –"en Londres hay muchos días grises y la televisión es muy fastidiosa"–, lo impulsa a encerrarse en una casa en las afueras de la ciudad para producir respuestas concretas.

Entrega a la Royal Philarmonic Orchestra su "Oratorio a Bolívar" para su transmisión radiofónica desde Londres el 24 de junio de 1976. La etapa de composiciones londinenses incluye, de igual manera, la "Suite para Cuerdas" contentiva del movimiento de la "Fuga con Pajarillo". "An American collage" es estrenada en Londres en 1976, por la mezzosoprano Barbara Conrad y la London Symphony Orchestra. La "Suite para cello y piano", tiene estreno en Los Angeles en 1977 y, algo después, otro tanto sucede con el "Cuarteto latinoamericano para saxofones", acaso marcado por ese nuevo rumbo académico que por fin avizora otra vuelta a la patria.

La Orquesta Filarmónica de Caracas
(1978-1984)

Casi 50 años ya marcan la existencia de Aldemaro. Los solitarios alrededores de Londres le resultan un ambiente desolador desde el punto de vista emocional. No se trata de necesitar compañía para fiesta o jolgorio; nadie más parco y reservado al momento de crear. Se trata, como bien sabe su familia íntima, de asegurar presencias de personas queridas a su lado para sentirse tranquilo, útil, creativo.

Resuelve reestablecerse en Los Angeles y allí procurarse compañía distinguida. Servirse de su viejo método de aprendizaje –memoria, oído y talento– para decantar lo mejor de sus contactos con la gente de los Estudios Disney y sus cursos de entrenamiento. Un guión propio basado en vida del famoso *playboy* dominicano Porfirio Rubirosa, *The Latin Lover* le mueve a gestionar en Hollywood a posibles productores; a interesar al reconocido director de *Love Story*, Arthur Hiller. Pero nada es fácil ni en el mundo de Romero, ni en el mundo de Hollywood.

En el entretanto, una circunstancia familiar anima su retorno a Venezuela. Ruby ha terminado de estudiar; en Caracas ha conocido a Herick Laine, con quien va a casarse el día 3 de noviembre de 1977. Aldemaro regresa para el matrimonio un par de días antes. Se hospeda en el Hotel Ávila y justo antes de la boda recibe la visita de Luis Herrera Campíns, futuro presidente de la República, quien le ofrece apoyo para crear la Orquesta de Caracas. En principio se trataría de una formación de música popular, dedicada a preservar los mejores repertorios de nuestra cultura urbana. Sin embargo, Aldemaro tiene ambiciones más grandes, apoyadas en un encuentro previo en Miami con su incondicional amigo y promotor, Egildo Luján.

Una Orquesta de Caracas, sí, pero de otro tipo. El retorno debe ser definitivo, le argumenta Egildo. Y de hecho lo es. La buenanueva del matrimonio de Ruby queda confirmada con el apoyo moral de sus amigos artistas –Hugo Blanco, Mirla Castellanos, Simón Díaz, Chelique Sarabia, Carlos Moreán, Alí Agüero, entre otros–, quienes le procuran ambiente de reinvindicación plena mediante un espectáculo homenajeando al maestro que retorna. "De repente", título del éxito popular más relevante de Aldemaro, da nombre al evento que se lleva a cabo el 10 de diciembre de ese 1977, justamente y sin recelos, en el Poliedro de Caracas.

Otro homenaje a sus 25 años de vida artística –Alfredo Sadel y María Teresa Chacín incluidos–, realizado en marzo de 1978, afianza su imagen como maestro de primer orden en el ambiente musical del patio. Es tiempo, pues, de concretar la Orquesta de Caracas incorporando socios que prestan colaboraciones concretas: Eleazar López Contreras ayuda a conseguir las oficinas iniciales en la parte superior del prestigioso Juan Sebastián Bar; Jesus Emilio Franco y Godofredo Romero trabajan en la imagen y parte gráfica. Egildo Luján vela por la compra de instrumentos y apoya la mudanza del proyecto a sus oficinas de Teclados de Venezuela, en Chacaíto, donde también se gesta *Lunes musicales*, consistente en un programa de 23 presentaciones semanales en el Teatro Las Palmas, que comienzan a partir del día 26 de febrero de 1978.

Desde el concierto inicial de los *Lunes Musicales*, Aldemaro deja saber el tono de su proyecto futuro. Esa noche dirige una orquesta de cámara de músicos académicos nacionales, ofreciendo repertorio de Mozart, Vivaldi, Juan Bautista Plaza y su propia "Suite de cuerdas", con el hoy famoso movimiento de la "Fuga con Pajarillo". Los tiros van no tanto hacia lo popular –"la especialidad de la casa", según gusta decir–, sino hacia el mundo académico y sus vericuetos orquestales. Tal es la transformación del proyecto inicial de la Orquesta de Caracas.

"¿Cuál es la diferencia entre una orquesta sinfónica y una filarmónica?", pregunta Aldemaro a cierto diletante presente en los conciertos del día lunes. "Pues lingüística y conceptualmente ninguna", alecciona, "la filarmónica será una orquesta formada por un pocotón de jovenes musicos venezolanos y *musiúes*, y la sinfónica lo mismo, pero con la diferencia de que los musicos *musiúes* de la Sinfónica de Venezuela llegaron hace unos 50 años". Enseña así que una filarmónica bien puede resultar alternativa a la más reputada sinfónica del país –la Orquesta Sinfónica Venezuela–, en cuanto a tocar todo tipo de repertorios en el formato más distinguido del arte musical. La invitación a participar a los músicos en el proyecto de una filarmónica, obedece a un credo personal publicado en las convocatorias pertinentes:

En razón de que la música eleva la calidad espiritual de las personas, facilita la comunicación y la comprensión entre los seres humanos, es parte fundamental de la formación de la gente. Como bien dice Emil Friedman "no hay cultura sin cultura musical".

La música puede mejorar la condición social de las personas. Gente de origen humilde como Vicente Emilio Sojo, Alirio Díaz e Inocente Carreño han sido y son aplaudidos y respetados por sus conciudadanos.

La música que creó a Teresa Carreño, Judit Jaimes y a Edith Peña. La música que está al alcance de todos, para forjar ídolos populares o formar maestros.

Ser músico en Venezuela significa, hoy por hoy, pertenecer a una clase profesional respetada, distinguida y bien remunerada.

Nace formalmente la Fundación Orquesta Filarmónica de Caracas el 18 de septiembre de 1978. En aquel momento, además de la Orquesta Sinfónica de Venezuela –única agrupación profesional con personal propio–, sólo funcionan en la ciudad dos grupos orquestales de actividad similar: Solistas de Venezuela y la Orquesta Nacional Juvenil. El financiamiento del proceso de formación de la Filarmónica está a cargo de la empresa Teclados de Venezuela, C.A, de Egildo Luján y del propio Aldemaro Romero. Así, en sus inicios se trata de una institución que en principio nada le cuesta al Estado.

Un consejo directivo rige las actuaciones de la nueva institución. Eleazar López Contreras, Egildo Luján, Rosalía Romero acompañan a Aldemaro en la intención de ofrecer música selecta, popular o académica, en su mejor nivel de ejecución. Contratarán para ello músicos aptos, vengan de donde vengan. Pedirán audiciones a los nacionales y, de no ser suficientes, irán allende fronteras. Eso harán.

Para finales de septiembre ya está calibrado el poco interés de los ejecutantes nacionales. No son suficientes. Toca el turno a un viaje de audiciones por los Estados Unidos: Los Ángeles, Ann Arbor –Michigan University–, Rochester –Eastman School of Music–, Boston –Boston y New England Conservatory–, Filadelfia –Curtis Institute–, New York –Julliard–, sustentan un mes exploratorio en compañía de Egildo Luján, para contratar los profesores requeridos por la orquesta. "Buscaremos los músicos en los Estados Unidos", dice, "porque en mi experiencia allí tocan bien, con disciplina y talento; tal cual lo que requerimos en nuestra nueva Filarmónica".

La búsqueda produce el efecto deseado. Aldemaro toca el talento e interés migratorio de un grupo heterogéneo de profesores que hacen vida en los Estados Unidos, pero que proceden de diversos países: Argentina, Uruguay, Canadá, España, Polonia, Rusia, Rumania, Bulgaria, Inglaterra, Brasil, Checoslovaquia, Bélgica, Irán, Austria, Hungría, Italia, Yugoslavia y, por supuesto, de los Estados Unidos de América. Para diciembre del año 1978 ya el personal artístico está tan definido, que casi conforma un particular movimiento migratorio musical. Así mismo está definida la voluntad política nacional que otorga al doctor Luís Herrera Campíns, alentador de la idea original, la primera magistratura del país. Los preparativos quedan listos para comenzar, digamos.

En enero de 1979, Mariahé Pabón, periodista de *El Universal*, siempre ligada a las relaciones públicas aldemareanas, realiza una entrevista aclaratoria de metas futuras y alcance del proyecto filarmónico:

La terquedad y la fe en nuestros valores han llevado a Aldemaro Romero a empeñarse en un trabajo serio y duro como es el de formar una orquesta filarmónica destinada a cultivar en nuestro pueblo el amor por la belleza en este caso por la música (...) La Orquesta Filarmónica de Caracas iniciará sus ensayos el próximo 21 de marzo y comenzará su actividad el 23 de marzo, para realizar una serie de conciertos(...)

¿De donde salieron tantos músicos?

–Venezolanos hay 25, el resto vendrá de diferentes partes del mundo. Para seleccionar cada músico tuvimos no menos de 90 audiciones. La ganancia para el país será absoluta, porque en menos de diez años tendremos músicos para nuevas agrupaciones.

¿De qué manera podrá sostenerse tan ambicioso proyecto?

—Durante dos años hemos realizado toda clase de operaciones para convencer a numerosas entidades oficiales y privadas de que nuestro proyecto será de inmensa utilidad para el país. Tenemos fondos para los comienzos, para arrancar, pero debemos insistir con la empresa privada para que ayude a sostener nuestra institución.

¿Cómo?

—Sugiriéndoles su aporte mediante los gravamenes de personas naturales y corporaciones cuando ellos tienen su origen en donaciones a empresas culturales. Estos desgrávamanes son perfectamente justificados en la ley del Impuesto sobre la Renta y es así como en Estados Unidos son sostenidas miles de orquestas, ballets, grupos teatrales, museos y demás instituciones aportadoras de cultura. El Estado no podrá soportar tantos gastos y pretendemos que los amigos de la música, de la educación y de la cultura, nos den su aporte (...)

Así ha nacido la Orquesta Filarmónica de Caracas que pretende despojarse de su frac para tocar en sitios populares música clásica, contemporánea y ligera. Cada semana presentará un solista nacional o extranjero y el trabajo de ensayos y presentaciones se alternará con el quehacer docente en todo el país. La Orquesta necesita apoyo para sufragar sus gastos fijos y para sobrevivir como ente vivo y dinámico en su país que cada día necesita inyecciones espirituales para curar la neurosis.

Llegan las ideas lustrosas, a gran escala, despojadas de ensueños irrealizables; premonitorias, sí, del trabajo de los profesores contratados sobre la base laboral de atender ensayos, conciertos diversos, e impartir clases en el Conservatorio de la propia Filarmónica. Aldemaro asume el cargo de maestro titular; el maestro Carlos Piantini, dominicano especialista en óperas y ballet, es uno de los directores contratados; Eduardo Marturet, joven músico venezolano, es director asistente; Elaiza Romero funda, organiza y dirige los coros. Hay también concursos para contratar incipientes directores, aventajados estudiantes y futuros maestros de la escena nacional: Pablo Castellanos y Rodolfo Saglimbeni ganan una competencia y consiguen sus respectivas plazas.

El régimen universal de trabajo en materia sinfónica supone ocho servicios semanales, a cambio del sueldo básico. Con esta premisa se instaura un régimen laboral que, según se verá, da frutos incomparables en cuanto a conciertos públicos y servicios de proyección cultural y educativa. En cuanto al diseño de la programación, pues se estudian los programas de la Orquesta Sinfónica Venezuela, de la New York Philarmonic, norteamericana, y de la Royal Philarmonic, inglesa; además, realizan encuestas que incluyen opiniones de críticos, aficionados, y estadística de venta de discos de música clásica. Aldemaro, finalmente, escoge el frac de estreno y calibra las batutas: la Orquesta Filarmónica de Caracas bautiza al fin su vida pública.

El concierto inaugural –en honor al ciudadano presidente, Luis Herrera Campíns–, se lleva a cabo el viernes 23 de marzo de 1979 en el Teatro de la Academia Militar de Caracas, con transmisión televisiva todavía impregnada del festivo ambiente de estreno de un período presidencial. En lo personal, el estreno preludia el inminente matrimonio del maestro con Francia Marrero, viuda de Falkenhagen, celebrado al mes siguiente, el 21 de abril de 1979.

Monique Duphil –pianista–, Morella Muñoz y Elaiza Romero–cantantes–, tienen el rol de solistas en esa inauguración dirigida por el orgulloso maestro Romero, quien ofrece su flamante orquesta de tono internacional de 97 profesores; entre ellos, 26 profesoras. A partir de la inauguración, se programan y cumplen 42 semanas ininterrumpidas de conciertos con repertorios que van desde clásicos ligeros, jazz o música popular venezolana y latinoamericana, hasta grandes sinfonías del más exigente tono académico.

Para finales de diciembre del año inaugural, queda pautado el ya conocido "Oratorio a Bolívar", comentado por su propio autor con periodistas de *El Nacional* en días anteriores:

(...) podría haber sido una cantata o una tocata, pero como aquí se habla de Bolívar, lo primordial es lo que se dice. Es un oratorio donde los textos de Manuel Florencio O'Leary comienzan por describirnos al Libertador, luego "Un Canto para Bolívar" de Pablo Neruda se mezcla con todas las manifestaciones autóctonas de la música popular venezolana. "Está ardiente de fiebre", texto poético de Gustavo Luis Carrera es la pasión, la lucha, y el amor de Simón Bolívar y el último movimiento, con "La Voz en el Tiempo", también de Gustavo Luis Carrera, es la guerra, la conquista de lo buscado, las decepciones, la muerte, y a la vez la inmortalidad y supremacía de un espíritu que se proyecta hasta más allá de hoy (...) Las voces solistas del Oratorio son las de Morella Muñoz y Tomás Henríquez, a quienes se tuvo la oportunidad de ver durante el preestreno (...)

–Creo que conseguí esta vez lo que estaba buscando –comentó Aldemaro Romero–, eso es lo que yo quería, la música de pueblo, el ambiente de las iglesias, el pueblo en sí.

¿Por qué?

—Creo que lo que persigue siempre un artista, bien músico, escritor, pintor o escultor, bailarín, es hacer el arte para el pueblo y creo que mejor homenaje para el Libertador no puedo ofrecer.

El "Oratorio a Bolívar" atestigua un Aula Magna plena de público entusiasta, pero la crítica del patio se abstiene de comentarios. La vida de la Filarmónica, sin embargo, continúa adelante según su plan de funciones continuas, ahora apoyadas con el fundamental financiamiento del Estado venezolano. Aldemaro en compañía de su hermana Rosalía, motores principales del día a día y conscientes de la responsabilidad que implica la subvención del Estado, no dan tregua a la programación de los tres años de comienzo de la década de los ochenta, que acaso admiten un escueto recuento del tono siguiente: más de 100 conciertos públicos por año marcan récord de actividades sinfónicas en la América Latina.

La lista de solistas nacionales invitados incluye el talento más granado de la época: Morella Muñoz, Judit Jaimes, Alirio Díaz, Edith Peña, Abraham Abreu, Maurice Hasson, José Francisco del Castillo, Myrna Moreno, Margot Parés Reyna, Violeta Alemán, William Alvarado, Cayito Aponte, Joén Vásquez, Freddy Reyna, Antonio Bujanda, entre otros. También se registran actuaciones de los maestros directores venezolanos invitados, Ángel Sauce, Eduardo Rahn, Juan Carlos Nuñez, Alfredo Rugeles y Felipe Izcaray.

En cuanto a solistas y directores notables del exterior, se presentan con la Filarmónica Carlos Paita, Yehudi Menuhin, Renata Scotto, Alfredo Kraus, Barbara Conrad, Susan Star, Paul Badura–Skoda, Coro Bach de Mardugo, Dimitri Sgouros, Alan Barker, Akira Endo, London Festival Ballet, Pedro La Virgen, Zimbo Trío, Alfonzo Montecino, Grahan Bond, David Coleman, Tamás Pál y Charles Vanderzand.

Hay cooperación tanto con importantes agrupaciones corales del país, como con otras instituciones dedicadas a la danza y la ópera: Ballet Teresa Carreño, Ballet Nuevo Mundo y Ballet Metropolitano, así como la Ópera de Caracas, reciben servicios orquestales gratuitos para sus espectáculos.

El espíritu de colaboración filarmónico llega al punto de ofrecer cooperación gratuita a los entes culturales afines. Así le prestan su asesoría musical a empresas del Estado y proponen la creación de una Liga Nacional de Orquestas a la que pertenezcan todas las orquestas sinfónicas y de cámara existentes en el país. La propuesta de ligar instituciones de actividades similares busca servir a la comunidad nacional en los campos de música y de la educación musical, tal y como lo practica el día a día filarmónico.

Ciertamente, las presentaciones de la orquesta están inspiradas en una labor de difusión cultural, educativa, de llevar la música a todos los espacios públicos de la ciudad. Así, desde el Teatro Teresa Carreño o el Aula Magna de la Universidad Central de Venezuela, hasta la Plaza de San Jacinto o de Chacaíto, plazas, parques, hoteles y clubes caraqueños atestiguan presentaciones filarmónicas del más diverso tono. Otro tanto sucede en espacios de gira por los estados Lara, Aragua y Carabobo, donde una actuación en el valenciano Teatro Municipal recuerda al nuevo maestro Romero los lejanos días de su papá allí mismo, al frente de su pequeña orquesta.

La acción divulgativa supone, además, actividades por radio, prensa y televisión. En ello ayudan la edición de discos y los programas de producción propia o "independiente", que transmiten conciertos por Venezolana de Televisión, Radio Nacional de Venezuela y por la Emisora Cultural de Caracas.

En cuanto a giras internacionales, la Orquesta va a Puerto Rico –Centro de Bellas Artes San Juan– y Santo Domingo, en octubre de 1982. La Habana recibe a la orquesta en el Festival Interamericano de la Artes y, de paso, da al maestro Aldemaro la oportunidad de refrescar el millar de recuerdos de su antiguo "paraíso terrenal".

La actividad filarmónica de comienzos de los ochenta capitaliza la actividad de quienes allí trabajan. El ritmo vertiginoso de actuaciones refleja con precisión el ritmo vital de su artífice y principal motor: no hay día en que no suceda algo; no hay hora sin idea que bulla en la mente del artista central de la orquesta; en especial, si la idea tiene que ver con la educación y propagación de cultura en Venezuela.

Datos, cuentas, resumen copioso de actividades conforman la esencia de un importante –vital, digamos– informe suscrito el 4 de junio de 1984 por Rosalía Romero, entregado al despacho del doctor Ignacio Iribarren Borges, ministro del Estado, presidente del Consejo Nacional de Cultura, CONAC. El informe debe satisfacer la razón existencial misma de la Filarmónica, para con ella sustentar el apoyo económico futuro de un gobierno de signo político distinto al del doctor Herrera Campíns. La necesidad de preservar la ayuda económica del Estado va reforzada por la importante labor educativa abordada por la Filarmónica:

A raíz de la escasez de músicos venezolanos y al fracaso innegable de la educación musical en Venzuela, la Orquesta Filarmónica de Caracas no podía dedicarse solamente al ámbito recreacional, por lo que programó una actividad didáctica. Por lo que se crea el Conservatorio de Música de la Orquesta Filarmónica de Caracas, que se fundó el 1ero de Octubre de 1980, se diseñó para 38 cátedras y para 500 alumnos.

El informe en cuestión precisa cómo los programas del Conservatorio incluyen ensayos y conciertos didácticos. Mediante "Música en las Escuelas", los músicos de la Filarmónica van por las escuelas y liceos haciendo demostraciones de grupos de instrumentos, para así estimular a los jóvenes a dedicarse a los estudios musicales. Hay también oferta de "Primarias Musicales", cuyo objetivo es enseñar música desde kinder, para luego producir alumnos capacitados para los estudios musicales avanzados; hay, consecuencialmente, Orquesta de Estudiantes del Conservatorio de Música de Orquesta Filarmónica de Caracas, Orquesta Infantil y Coro Infantil.

Gracias a estos programas, un total de 8.000 niños disfrutan de las demostraciones de música, en las escuelas, en institutos públicos que van del Grupo Escolar Coronel Carlos Delgado, a instituciones privadas como los colegios Teresiano o María Auxiliadora. También jóvenes, profesionales y melómanos se sirven libremente de un servicio gratuito de biblioteca y fonoteca que funciona en el Conservatorio de la Filarmónica, donde se resguarda un copioso archivo musical de repertorio contentivo de obras universales y compositores venezolanos.

La Orquesta Filarmónica de Caracas –rematan las orgullosas líneas del informe referido– introdujo en Venezuela fórmulas nuevas en el campo artístico y en el del rendimiento que las orquestas venezolanas podrían seguir, en cuanto a mejorar los servicios de recreación, divulgación y educación que una orquesta venezolana debe ofrecer.

Rueda Libre *en la radio*

La política en *Rueda Libre*
(1984-1990)

El Teatro Teresa Carreño atestigua en 1983 el estreno del ballet *Manuela*, drama músico-teatral con textos de Gloria Martín, comisionado a Aldemaro por el Ateneo de Caracas para el Ballet Nuevo Mundo de Caracas y su *prima ballerina assolutta* Zhandra Rodríguez. Ese año, además, marca un tiempo electoral en Venezuela con efluvios inevitables para el flamante pero inquieto director de la Filarmónica.

El doctor Rafael Caldera compite entonces con el doctor Jaime Lusinchi por la presidencia de la República. Una extraña onda acompaña las promesas de los candidatos. Aparecen los llamados "gabinetes de sombra", útiles para promover candidaturas dando a conocer los posibles ministros; entre ellos, mucho se menciona el nombre de Aldemaro como posible hombre de cultura del doctor Caldera, a quien acompaña con Cecilia Martínez y Miguel Otero Silva en el programa televisivo *Foro del espectáculo*. Allí examinan las inquietudes de los artistas de la radio, cine, teatro y televisión. Además, Aldemaro, siempre independiente en cuanto a filiación política, acepta la postulación del Partido Socialcristiano COPEI cual segundo senador por el estado Carabobo y, de paso, cumple con sus deberes promocionales mediante manifestaciones de propaganda publicadas en la prensa:

Ganadores con Caldera.
Estoy apoyando a Caldera, porque considero que es el hombre que Venezuela necesita. Creo que Caldera es una de las reservas morales, intelectuales y políticas más importantes con que cuenta el país, y el país no está en momento de improvisar.

Si al talento de Rafael Caldera se suman los demás atributos que todos sabemos lo adornan: experiencia, confianza, prestigio, honestidad, tenemos el candidato nacional que anhela todo el país.

Gana el doctor Lusinchi la Presidencia de la República. Nuestro biografiado es electo senador suplente por el estado Carabobo. Las ideas ministeriales de desarrollo cultural quedan en un tintero aldemareano lleno de ideas políticas opositoras. Pero, ojo –le advierten los amigos cercanos– en política quien pierde siempre paga: hay que cuidar como nunca la proyección de la Filarmónica, proceder con moderación para preservar el indispensable apoyo financiero del Estado, con que se ha contado y se cuenta para seguir adelante.

Conciliar con los nuevos funcionarios oficiales de la cultura, aplacar el tono crítico de sus escritos de prensa... Así lo recomienda su consejo directivo, así insisten Egildo Luján, consejero financiero y Rosalía, "hermanager" en plenas funciones administrativas de la orquesta. Pero la fiebre del ejercicio político es muy alta y los consejos no son escuchados. Llega, como ya se mencionó, el requerimiento de un informe de actividades por parte de los nuevos funcionarios del órgano de cultura del Gobierno, CONAC.

Una fe ciega en la institucionalidad le hace pensar en lo incuestionable de su gestión al frente de la Filarmónica; de la labor educativa realizada mediante los especiales programas de la Orquesta y su Conservatorio. Hay importante acción ciudadana y, del mismo modo, hay libertad de expresión política individual con fundamento a derechos constitucionales, ¿cierto?... Se puede ser crítico del Gobierno –¿por qué no?–, se puede escribir en la prensa con pasión y fruición en contra del Presidente y sus políticas; se puede ejercer fuerte oposición desde un curul senatorial y nada, absolutamente nada debe afectar la labor de la Filarmónica, ¿cierto?

En agosto de 1984, un par de meses luego de presentado por Rosalía Romero el informe de actividades requerido por el CONAC, el despacho en cuestión resuelve retirar el apoyo económico a la Filarmónica, lo que significa, en otras palabras, forzar su liquidación.

En un diálogo con el periodista Edgar Moreno Uribe, publicado por *El Diario de Caracas* el sábado 18 de agosto de 1984, el presidente del CONAC, doctor Iribarren Borges, deja saber:

Se debe señalar que tenemos una serie de consejos consultivos, como yo los llamo, sobre artes plásticas, danza y música, los cuales están constituidos por personalidades dentro de cada una de esas disciplinas artísticas. Ante cualquier medida de cierta gravedad que vaya a tomar el instituto, se cita al respectivo consejo de música en torno al excesivo número de orquestas en Caracas y la recomendación de que alguna de ellas se trasladara hacia alguna ciudad del interior.

Agregó que no fue por oír ese consejo que tomó la decision de suspenderle la asignación a la Filarmónica.

Lo primero que hice fue disminuir el auxilio que tenía, porque en la cuenta que presentó al CONAC, había una serie de partidas que no estaban justificadas plenamente, como el pago de servicios de una deuda y varias otras que sumaban, más o menos, siete millones de bolívares. Se ordenó disminuírle la ayuda, hasta que justificara sus cuentas. Al mismo tiempo, y dentro de nuestro derecho, se ordenó una auditoría. Después tomé la decisión que ya se conoce.

La Filarmónica caerá, y con ella Aldemaro caerá de nuevo. No será la primera vez, ni tal vez la última. Pero esta caída viene desde las alturas del muy importante vuelo filarmónico, ahora llevado a la sepultura por un irreductible via crucis con estaciones de corto aliento: no más dinero es no más Orquesta, ni más Conservatorio, ni conciertos, ni música a gran escala, ni... El sentido de resignación frente al descalabro tampoco es manso. No puede serlo:

Si somos capaces de enfrentarnos a nuestros propios demonios, ¿por qué no rebelarnos contra las plagas de los otros? ¿Es que no podemos llamar a las cosas por su nombre? ¿Acaso es imposible exigir legalmente lo que nos corresponde por derecho, lo que es nuestro por imperio, cuando otros los consiguen con demagogia, con adulación y con política?

De no rebelarnos jamás seríamos íntegros, y la renuncia a nuestro derecho de rebelión, insisto, nos mataría. La culpa es de Sartre, que nos metió en la cabeza aquello de que el hombre sólo existió cuando tuvo conciencia de su rebelión contra la marea de las circunstancias. Y en nuestro caso esas circunstancias llegan a incluir a un conjunto de dirigentes ignorantes y pedestres, a gobernantes de mentalidad aldeana fácilmente impresionables y a ministros atrabiliarios y pisoteadotes de la ley.

"La integridad con disciplina" (*El Nacional*, 14 de enero de 1985).

Aldemaro escribe, apela, ruega; insiste en solicitar la rectificación pública en las páginas de *El Nacional*:

Creemos que hay que rectificar. El Ministro del CONAC, hombre maduro y de experiencia, tiene edad para la reflexión. Reflexione Ministro. Ponga las cosas en su justo lugar. Y no permita que los revanchistas, los exaltados y los arribistas pongan una mancha oscura y vergonzante al final de su hoja de servicios.

No hay respuesta y cambia el tono.

Amenaza con acciones judiciales. Fustiga con declaraciones y escritos encendidos. Habla con inteligencia, con ironía y, a veces, con encono. Busca apoyo para continuar adelante en el Congreso y fuera de él. La empresa privada, su espíritu de lucha aunado al sentimiento de los melómanos que lo apoyan, puede lograr la independencia financiera para seguir adelante, eso cree. Pero al final nada puede compensar el efecto implacable de la falta del soporte financiero estatal: "Los sueños de un creador nunca son plenamente compartidos".

El hombre es tan experto en caídas como en paradas. Una primera medida está en dejar caer en la prensa dardos afilados: pegar en retirada, digamos. Así varios artículos publicados en *Feriado*, suplemento dominical de *El Nacional*, dejan saber cómo el sarcasmo humorístico es útil para denunciar injusticias y, a veces, lograr la solidaridad de algún intelectual del patio –Rubén Monasterios–, presto a "meterle el hombro para ayudarlo a cargar su urna".

Su irreverencia natural apoya una curiosa estrategia de preservación personal. Nelson Hyppolite lo entrevista para *Feriado* en noviembre de 1985; Aldemaro contesta pugnaz y se hace retratar en calzoncillos, cual honorable senador del Congreso Nacional: "Yo soy el mejor músico que ha tenido Venezuela en toda su historia", declara arrogante. Todos los intelectuales están a favor del movimiento *Gay power*, pero él va en contra; Rubén Monaterios así lo remarca en un artículo periodístico. La intelectualidad coquetea con la izquierda, mientras nuestro personaje declara sin complejos: "¡Soy de derecha!". La postura de *enfant terrible* de la cultura nacional, asumida entonces como nunca antes, acaso resguarda al artista del terrible efecto de un fracaso importante y, de paso, le preserva los prolongados y reverentes silencios requeridos por la creación musical. "Las paradojas son las únicas verdades", George Bernard Shaw *dixit*.

El humorismo personal, arma de dos y tres filos en su caso, obra para confrontar las contrariedades y procurarle ocupación. Pedro León Zapata es un amigo que a "zapatazos" lo ayuda: "No hay que gastar todas las malas palabras en la campaña electoral. Hay que guardar algunas por si se pierde...", "La nota preferida del Filarmónico Aldemaro no es el Sí, sino el Mí..."

No más Filarmónica, bien. La vida musical continúa no a partir de cero, sino a partir de noviembre de 1985, cuando aprovecha la oportunidad del regreso de Alfredo Sadel a Caracas, luego de una larga estadía en el exterior. Juntos ofrecen un concierto memorable en el Hotel Caracas Hilton: el pasodoble Silverio Pérez arranca aplausos y bises de un comienzo que para nada augura el final de la carrera de los artistas principales. Adelante pues, en la onda del recuerdo o, mejor, de la crónica musical con evidencias de un dueto trascendente, de sonoridades afines a la radio que atestiguó sus comienzos artísticos, y que pronto le ofrecerá una oportunidad de retorno.

El año de 1987 depara algunas satisfacciones combinadas con difíciles circunstancias personales. El 12 de febrero, día de la juventud, se inaugura en El Tigre, estado Anzoátegui, la Escuela Juvenil de Didáctica Musical "Aldemaro Romero", nombrada en claro homenaje a sus 50 años de vida profesional y, quizás, un año antes de su sexagésimo aniversario. Sin embargo, es 1987 también el año de inicio del contencioso proceso de divorcio de su segunda esposa, Francia Marrero.

Hay entonces desencanto, excursiones por la bohemia caraqueña acompañado por su hija Ruby y un montón de sentimientos prestos a letras y melodías despechadas. Una noche descarga su dolor quitándole el micrófono a Mercedes Ríos, cantante, y el teclado a Pedrito López, en el restaurant Malibú de Las Mercedes. La noche repite. Los melómanos comienzan a escuchar y el repertorio de despecho aumenta. Nacen así canciones y boleros de sofisticada factura: "Regresarán las lágrimas", "Esta casa" −incomparable canción de desahucio− lo estrenan como cantante solista en el disco *Amiga mía*.

Un buen día, durante cierta presentación bolerística en el emblemático restaurant El Parque, le confiesa a su hija Ruby:

Yo lo que quiero es que los venezolanos entiendan que yo soy como André Previn. Quiero un domingo de estos, cantar mis boleros en el restaurant después de haber dirigido una orquesta en el Teatro Teresa Carreño, para que así los que me acusen de cabaretero, lo hagan con gusto.

Surge así la música y letra de la cancion "Declaracion de Principios":

Porque personalmente yo no creo
que deba por haber nacido artista
meterme a contertulio de ateneo
y menos a izquierdoso y comunista (...)
Así que aquí estoy echando el resto
basándome en un hecho verdadero
nadie me quitará mi presupuesto
mientras yo sea un feliz cabaretero.

Nace también en esos tiempos la relación artística con una joven y muy linda cantante, diva de las noches caraqueñas convaleciente por un accidente en moto, que quiere ofrecer un homenaje a Elis Regina y quien, además, quiere interpretar las canciones de Aldemaro: María Rivas.

El talento de María seduce al maestro y viceversa. "Aldemaro, de perfil eres igualito a Alfred Hitchcock", le dice la juguetona María, mientras este "Hitchcock" arpegia el piano, refunfuña y recuenta un toque en Maracaibo: llega con la bella y ya famosa María a uno de esos "tigres" compartidos; una periodista jovencita le pregunta: "¿Y usted quién es?". De inmediato le responde: "Billo Frómeta, ése soy yo". La periodista vuelve a la carga: "Y dígame una cosa, señor, ¿Billo se escribe con ll o con y?".

El particular dueto se estrena en 1988 en el Teatro de Villalobos de Río de Janeiro. A su regreso en agosto repite en Girafe caraqueño. El aplauso apoya la estabilidad del dúo, presto a cientos de toques –"tigres", según ellos– donde María, la voz de afinación perfecta, interpreta las canciones de Aldemaro, clásicos del jazz, boleros, música brasileña y casi "lo que venga cargado de buena vibra...". El disco compacto *María Rivas y Aldemaro Romero. En concierto*, grabado años después –2003, Fundación para la Cultura Urbana–, preserva la lujosa interpretación de canciones aldemareanas de este insustituible par.

Pero no es sólo tiempo de boleros, toques noctámbulos o del dueto de estreno con María Rivas. Hay invitaciones para dirigir su música académica con orquestas sinfónicas, que poco a poco se entrecruzan con los "tigres" y con una fundamental relación personal que comienza en agosto de 1989: comparte con la señora Elizabeth Sandoval, viuda de Rossi, alguna presentación en Girafe... "Su cumpleaños, señora Rossi, con tickets para el concierto de Rostropovich en el Teresa Careño y posterior cena en el Hotel Eurobuilding". O la especial invitación a un "tigre" pautado para el mediodía del domingo 29 de octubre en el Restaurant El Parque, con el remate de dirigir, en horas de la tarde, a la Orquesta Sinfónica Venezuela en la sala José Félix Ribas del Teatro Teresa Carreño.

El logro de dirigir conciertos sinfónicos y, a la vez, cantar sus boleros y ofrecer sus "tigres" sin mayores críticas, no es poca cosa. Al fin ha roto con el estigma de los linderos estrictos que desde su infancia separan en el país la música y los músicos académicos, de los músicos y la música popular. El reconocimiento formal del Premio Nacional de Música, sin embargo, todavía tardará algunos años en llegar.

Esos finales de la década del ochenta también le deparan una vuelta triunfal a la radio. Radio Capital tiene al aire el famoso programa humorístico Rueda Libre. El espacio de los mediodías caraqueños ha estado varios años conducido por Manuel Graterol Santander "Graterolacho", Pedro León Zapata y Orlando Urdaneta. Pero nuevos rumbos comprometen a Urdaneta con la actuación y a Zapata con su pintura. Hay que ubicar algún talento que los sustituya. Y eso no es nada fácil.

El espacio supone improvisación. Mediodía a mediodía hay que comentar humorísticamente el acontecer nacional. Graterolacho recuerda el acierto de su escogencia:

El único hombre que de verdad es capaz de estar al nivel de Zapata es Aldemaro, y es tan amigo mío como Zapata. Le hice una proposición e hicimos un Rueda Libre diferente porque él siempre orientaba sus comentarios hacia la música y la pasábamos muy bien. Era un anecdotario, una tertulia entre dos amigos y hablábamos de todo; desde costumbrismo, hasta platos venezolanos.

El dúo funciona a partir de los meses finales de 1988. Los radioyentes lo celebran con buenos números en el *rating* de audición. Aldemaro acompaña con el piano la participación de los invitados. Hay entrevistas, parodias de diversos personajes interpretados por "Otrova Gomás". La televisión se interesa y el show de los mediodías pasa a transmitirse en cadena conjunta de Televen y Radio Capital.

Triunfan con los conductores nuevas estrellas: los "cara e' bolsa", representados por Santi, Yajaira Núñez y Frank Guevara. El mismo Aldemaro, todavía cantante "debutante", graba otro disco –1989– de recientes canciones y boleros propios: *Como de costumbre*. Allí los temas "Quién" y "Quién la manda a enamorarse de un artista", compiten con su éxito "Esta noche me voy a emborrachar con mi mujer", celebrado en presentaciones en variados restaurantes, clubes nocturnos –Malibú y Girafe, principalmente–, de una Caracas *de nuit* ochentosa que le escucha decir: "¿Presuntuoso yo? Depende de quién lo diga. ¿Solemne? Cómo va a ser solemne un tipo que dice groserías, juega bolas criollas, dominó y, además, compone boleros".

Rueda Libre cumple su ciclo televisivo a mediados de 1990, no sin antes celebrarle al aire sus 62 años, y acaso oírlo luego, en Radio Capital de lunes a viernes en *De repente, Aldemaro Romero*, los domingos en *Salón de la Fama*, o muy en privado, estrenando la composición "Adeca", de esencias bohemias tan personales, como humorísticas y capitalinas:

Tú me preguntas por qué
me comporto últimamente

con frialdad, indiferente
como nunca me porté.

Has llegado hasta a creer
en los chismes de la gente
que he abierto un segundo frente
y que tengo otro querer.

Yo te puedo asegurar
que eso es puro mar de leva
que yo no tengo otra geva
ni aquí ni en ningún lugar.

La verdadera causal
de mi achicopalamiento
es que tu comportamiento
ha dejado que desear.

Primero fue tu engordar
cuando me habías prometido
ser flaca como un silbido,
como llegaste al altar.

Yo a eso no le paré
pues yo sé que con los años
no tiene nada de extraño
que tengas que usar corsé.

Otro más de tus desmanes,
de los peores de tu lista,
es que fueras caraquista
siendo yo del Magallanes.

Pero lo que más me hirió
y me produjo jaqueca
fue saber que eras adeca
¡y eso sí es verdad que no!

(Coro):
¡Y eso sí es verdad que no!
¡Y eso sí es verdad que no!
ESTAMOS MAL PERO VAMOS BIEN.

Quinta Tancha: *"A song for Elizabeth"*
(1991-2000)

Las canciones de Aldemaro tienen lírica peculiar. Utilizan formas coloquiales para los temas amorosos. Nada de labios de rubí, ni dientes de perlas; mejor decir, "Poco a poco, de la nada, como surgen de las noches, madrugadas...", o "De repente, como el niño que se vuelve adolescente...". Lenguaje de metáforas cotidianas, poético pero concreto; con la sabiduría confesada en sus cuartetas radiofónicas "Cantándole al corazón", propias de quien ha tomado lo sencillo cual punto de partida:

Con la fuerza de un chispazo
se compone una canción,
es casi siempre un flechazo
producto de la emoción.

Y no es muy extraño el caso
que en toda la composición
hay casi siempre un pedazo
dedicado al corazón.

Yo que he escrito, paso a paso,
uno que otro culebrón,
confieso, sin embarazo,
idéntica aberración.

Por eso, de un manotazo,
con un golpe de timón,
aunque con cierto retraso
aporto una solución.

Colegas, mis hermanazos,
duchos en composición,
aunque ella sea un batacazo
escuchen esta opinión:

Cuando de golpe y porrazo,
sin más consideración,
sólo por salir del paso
le canten al corazón,
no escriban como pelmazos,
usen su imaginación;
no se coman más el trazo
que hay órganos a montón:
la vesícula, el bazo,
el hígado y el riñon.

En el artista hay un estilo humorístico –el fino humor, se sabe, es don de sabios–, pero también hay mucho más. Existe un modo particular de decir las cosas, traducido no sólo en letras de canciones, sino en las letras de artículos periodísticos, charlas, conferencias, programas de radio; hasta en la extraña seducción que le producen los temas lingüísticos y jurídicos. Pero bien se sabe que no sólo hasta allí los ánimos creativos; la diversidad de intereses conminada por la angustia económica existencial vuelve a la carga, una y otra vez, para hacer girar la imaginación en sentidos distintos y, a veces, inconvenientes.

Por una parte, va la elocuencia del verbo acompañando su condición de erudito conferencista de temas musicales en las universidades nacionales, en pretigiosas emisoras radiales; en la Escuela de Música de Williamsburg en Brooklyn, Canning House en Londres, o el Instituto de la Cultura Hispánica en Madrid. De otra parte, la mente le activa empresas comerciales desconectadas del tono erudito, pero ligadas al eficiente desempeño gerencial de su hija Ruby: "Producciones Aldemaro Romero" cuenta con un equipo de video y la capacidad de Herick Laine y Oscar Blanco Fombona para coproducir comerciales de televisión. "MotoVideo" es un concepto de alquiler de películas a domicilio desarrollado en la empresa, que también reedita algunos de los antiguos discos del Círculo Musical, uno que otro *LP* con grabaciones de la Filarmónica y el par de estrenos –Supravox– con nuevos boleros y canciones que, como se dijo, marcan el debut fonográfico como cantante solista. Obran simultáneamente esfuerzos empresariales por capitanear grupos inversionistas para desarrollar hoteles, estancias turísticas o inversiones en la industria del aluminio... Pero las actividades heterogéneas no paran allí.

Freddy y Mariela León, empresarios musicales aldemareanos, le dan posibilidades de comercializar su enorme legado discográfico a través de las ediciones de Discos León. Fundarte, editorial del Estado venezolano, le otorga una Mención Honorífica y luego, en 1992, le publica el didáctico ensayo *Esta es una orquesta*. En la misma década –año 1998, Dirección de Cultura del Estado Carabobo– ve una segunda edición de otra colección de ensayos intitulada "Cosas de la música". El diario *El Nacional* publica su columna "Del zoo cultural"; con "Bitácora con Viasa y Jaime", publicado el primero de abril de 1991, obtiene en el "Premio al mejor artículo humorístico del año" a través de un tema emblemáticamente aldemareano: un viaje pautado en el mismo avión donde se embarcará el expresidente Lusinchi de sus tormentos Filarmónicos:

Estaba yo escribiendo un texto cuando el Salón VIP se conmocionó. Entraron unos muy conspicuos monos, wokitoki en mano, precediendo a la jara. Acerté a deducir que era la corte de algún pesao. Lo era. Apareció él, y a mí, que lo veía por primera vez en carne y hueso, me tomó algunos instantes identificarlo. ¿Será él?, me preguntaba, mientras acudía a un escrutinio ocular centrado en sus características físicas más resaltantes: su imperturbable sonrisita de bribón, el gesto de los índices paralelos con que anunció el mejor refinanciamiento del mundo, y por último los glúteos cachetes que no alcanzó a rebajar en el spa.

La escritura de crónicas y artículos parece acompañarle la actividad musical en una curiosa armonía. *El Nacional*, *El Diario de Caracas* y *El Mundo* son periódicos nacionales en los que publica regularmente desde mediados de los años ochenta; luego lo hace en el diario *Notitarde* con la columna "Farándula carabobeña", desde 1997 hasta el 9 de septiembre de 2007. Pero el maestro, ya se dijo, no puede constreñir sus impulsos empresariales y, en paralelo a las actividades de su compañía de "Producciones", propone a su compadres, amigos y promotores de años, Antonio Cortés y Egildo Luján, una idea de enorme dimensión: la celebración de los 500 años del descubrimiento –1992– con la

> *Apoteosis del Nuevo Mundo (...) El proyecto más ambicioso a realizarse en el Continente Americano (...) Esta celebración, patrocinada por la Alcaldía de Caracas, tendrá lugar durante todo el año 1992 en doce regiones de Venezuela, con el auspicio de sus más calificados entes oficiales y privados.*

Y sea que dentro de esa "Apoteosis" quepa el novel concurso de Miss Nuevo Mundo, un renacimiento de los Carnavales de Caracas, un intentar una y mil veces, hasta que... Los compadres le hablan con datos y cifras para atenuar, según puede, la avalancha imaginativa que ciertamente resta tiempo a la creatividad literaria y músical

Como sea Aldemaro, persistente hasta la tozudez, acomete el proyecto de la Apoteosis desde una sede de connotaciones futuras muy especiales; extraempresariales, digamos. Se trata de un estrecho vecindario de oficinas en el conocido Cubo Negro de Chuao, Caracas, con Elizabeth Rossi, profesional liberal especialista en investigación de mercado y compañera de venturas y desventuras.

Las oficinas del Cubo Negro procuran enésima sede al equipo de producción familiar Romero, que usualmente acompaña al maestro. Ruby preside "Producciones Aldemaro Romero". Godofredo acomete los diseños artísticos y cuida de las copias musicales requeridas por proyectos de envergadura. Rosalía, aunque trabajando en otras oficinas culturales, siempre funge de cuidadora de proyectos e ideas; sempiterna "hermanager". Aldo Pagani, suerte de familiar putativo, desde Italia presta atención a la edición de composiciones. De pronto Egildo Luján, otro familiar putativo y consejero financiero del mejor calibre, se atreve a preguntarle: "¿Conviene tanto tono doméstico involucrado en tus cosas? ¿Está bien restarle tiempo a la música y a las actividades de alto vuelo intelectual que realizas?".

El círculo familiar, ciertamente, está involucrado en el quehacer aldemareano. Siempre encabezado por Rosalía, resulta tan amplio que abarca por igual consanguíneos, afines y más asimilados de distintos talentos y condiciones: Mariela, dramaturga, y Junior, pianista, hijos de Rosalía; Rafael, actor, hijo de Godofredo; los hermanos Berti Soteldo, Michael y César, músicos sobrinos; Keyla Ermecheo –maestra coreógrafa–, Federico Alfonzo Soteldo –publicista–, Jesús "Chuchito" Sanoja Soteldo –pianista–, Liz Fernández Soteldo –cantante–, hijos de doña Elisa; los jóvenes Falkenhagen Marrero, Armando y Vanessa, hijos de su segunda esposa, asimilan la condición de hijos; hay desde luego nietos y nietas en el futuro del clan... Hasta la señora Rossi que, como se dijo, hace ya un tiempo comparte las venturas y desventuras de su compañero, ahora atestigua las actividades empresariales en su día a día. Presiente Elizabeth que la cercanía con el genio en acción puede aturdir, no entenderse del todo, aunque hay algo poderoso que impacta y atrae: ¿no será el lado artístico, la creatividad del músico, la mejor fase de Aldemaro?

La *Apoteosis del Nuevo Mundo* no alcanza la apoteosis deseada, pero deja al menos un par de importantes secuelas. En su contexto estaba prevista la realización de una feria de arte, subproyecto a cargo de Zoraida Irazabal quien posteriormente, al ver la imposibilidad de llevarla a cabo según el proyecto original, se reune con Magdalena Arria y con Ana Pina Vicentini y deciden seguir adelante por su cuenta. Participan a Aldemaro la decisión, quien les da el visto bueno para que nazca la Feria Internacional de Arte de Caracas, FIA. La otra secuela importante viene dada por la confirmación de la relación personal que demarca el futuro del artista.

Aldemaro comparte desvelos empresariales y actividades laborales con Elizabeth de Rossi. A cambio recibe de ella apoyo, solidaridad; tiempo compartido a plenitud. Y este tiempo marca novedades positivas en ambiente y propósito de vida y obra: dejar las aventuras empresariales en un segundo plano, dedicarse principalmente a la composición musical desde los alrededores de la Urbanización Miranda, el extremo este de la ciudad, donde en principio ha puesto "tienda aparte" en la Quinta Isabel, para luego, poco a poco, convertir a la Quinta Tancha, casa de su compañera, en su futuro y definitivo hogar.

En mayo de 1993 planifica un concierto conmemorativo de sus 65 años de vida. En Venezuela cada cual debe armar sus propios juegos conmemorativos y, en este caso, procurar la participación de diversos artistas del mundo popular y académico. La música propuesta en el evento recuerda, pero también estrena: suena por vez primera la "Suite Onda Nueva", bajo la batuta de Rodolfo Saglimbeni al frente de la Orquesta Sinfónica Gran Mariscal de Ayacucho. Desde ese momento, se instala como obra nacional exploratoria del importante lindero que entrecruza "lo popular" y "lo académico", para convertirse en repertorio de todas las orquestas sinfónicas nacionales. El aplauso colectivo poco a poco va eclipsando las controversias en torno a genio y figura.

Conciertos conmemorativos se alternan con la conducción de programas radiales en Jazz 95.5 FM –*De repente*, *Aldemaro*, *Aldemaro de noche*– y luego, en 99.1 FM, *Aldemaro en Mágica*. No faltan en la agenda actividades públicas tales como prestar asistencia a la Comisión de Turismo y a la Comisión de Administración y Servicios del Senado de la República, o asistir a las reuniones con el Grupo Amistad, liderado por el senador Isaías Medina Serfaty, quien no está exento de oírle eruditas disquisiciones de tono político, coronadas con alguna despedida a las damas presentes, musas de la humorística mancheta radiofónica del turno noctámbulo:

> *Muchachas, ahí va un consejo*
> *del programa De Repente:*
> *No se empaten con un viejo*
> *Y no hablen mal de la gente.*

1995 y 1996 son años de afianzar residencia y continuar adelante. A una mudanza de oficina a Los Ruices sucede el traslado de las actividades a la Quinta Tancha, su sede definitiva desde 1997. Es tiempo de escribir notas para libros que años más tarde termina: *Encuentros con la Gente*, *El Joropo Central* y el *Joropo Llanero* y *La Música de Carabobo*. De seguir adelante con sus columnas periodísticas, y debutar como dialoguista para una novela para televisión, cuyo libreto está a cargo de su sobrina Mariela Romero.

Frecuentes son los viajes a Italia para asistir, en condición de jurado, al Festival Piazzolla organizado por su editor Aldo Pagani. Como empresario, colabora con su hermana Rosalía en los eventos pautados por la Alcaldía de Libertador para los Carnavales, el Día de la Raza, o con una corta temporada en *La Boite* del Hotel Tamanaco.

Tampoco faltan, semana a semana, las presentaciones dominicales pautadas en El Palacio del Mar, reputado restaurant del este caraqueño. El trío en compañía del "Pavo" Frank Hernández en la batería y el bajista Michael Berti, comienza en junio de 1996 un ciclo que termina en enero de 1998. Es allí frecuente la presencia de otros artistas nacionales –María Teresa Chacín o María Rivas–, y de visitantes internacionales como Paquito D'Rivera y Arturo Sandoval, que tocan y celebran cierto especial sentido de animación, que hasta mueve las frecuentes visitas de Aldemaro a los conciertos académicos.

Domingo 2 de noviembre de 1997. Un recital de dos pianos tiene lugar en la sala José Félix Ribas del Teatro Teresa Carreño. Carlos Duarte y Gabriela Montero ofrecen un excepcional *performance*. El maestro lo disfruta, piensa en las notas que pondrá a un concierto compuesto especialmente para la pianista –"Los dedos febriles de Gabriela", así se llamará– y garabatea en el programa una idea previa:

Por estos dos pianistas
de recios ademanes
hoy me perdí mi juego
Caracas-Magallanes.

La celebración de sus 65 años de edad es complementada por otra de sus 70 –14 y 15 de marzo de 1998– también en el Teatro Teresa Carreño, donde se conjunta el tono popular y el académico. "Las dos Marías" es composición de estreno dedicada a sus dos intérpretes más emblemáticas, la Chacín y la Rivas. Igualmente, se ofrecen fragmentos del "Oratorio a Bolívar" y el "Canto a España" interpretado por la soprano María Josefina Riera. La participación de la Orquesta Sinfónica Gran Mariscal de Ayacucho, bajo la batuta de Rodolfo Saglimbeni, complementan el marco para una interesante declaración del maestro

Aldemaro, contenida en el programa de mano del evento:

No es fácil llegar a esta edad. Lo primero que tengo que agradecer es la gracia del To-
dopoderoso al dejarme trasponer el límite promedio de vida del ser humano de hoy. Esa
prórroga constituye para mí un compromiso. Y voy a cumplirlo. Porque en acatamiento de
la obligación que supone mi condición de creador me propongo seguir componiendo todos
los géneros de música que hasta ahora he abordado, contribuyendo así con el modesto
capital espiritual que soy capaz de generar para mí, para mi país y para mi gente. Hay
obra cumplida, modesta, eso sí; pero es una obra que carece todavía de epílogo.

El mismo programa de mano contiene apreciaciones, agradecimien-
tos, currícula de los artistas participantes, y un retrato de Zapata –puro
zapatazo del año 1973– que, de paso, deja saber la siguiente leyenda:
"Anteproyecto de monumento para Aldemaro". No en vano remata el
homenajeado su texto septuagenario, de la manera siguiente: "Con
tales muestras de desprendimiento y solidaridad vale la pena cumplir
otros 70 años". Y tal cual lo prometido continúa adelante.

A comienzos de abril de 1999 Aldemaro le pide matrimonio a Elizabeth, quien, a su vez, le pide a él razones y recibe "la lindísima respuesta del Aldemaro de principios familiares: –para llevar a mi hija
Eli Coromoto al altar como debe ser, como tú esposo y por ende como
su papá". El 15 de abril de 1999, Aldemaro y Elizabeth se casan no
sin antes celebrar, según ellos, "una luna de miel adelantada", donde
Portugal, España, París, Londres y, finalmente, la Italia del Lago de
Como –"Donde deben flotar mis restos, Elizabeth..."– son románticos
destinos para una especial recién casada, a quien dedica una de sus
más bellas piezas instrumentales: "*A Song for Elizabeth*".

La Quinta Tancha, hogar de los Romero-Rossi, atestigua el trabajo
de composición diario y la incorporación de nuevos afectos al clan
Romero: doña Luisa, dulce madre de Elizabeth; y los amorosos hijos
de la rama Rossi, Eli Coromoto, Guillermo y William. El silencio, el
ambiente familiar, bucólico y fresco de la casa ayudan a costumbres y
usos útiles para la actividad del sexagenario artista.

La producción compositiva es enorme y muy cuidada. Escribe y orquesta a mano. Los directores académicos y copistas se sorprenden de la
pulcritud conceptual y la inexistencia de errores en los *scores*. Unas 80 y

tantas obras de tinte académico a partir de 1997 dan fe de la fructífera actividad del período: música orquestal, de cámara, coral; conciertos para instrumentos, poemas sinfónicos; misas y oratorios componen los géneros abordados. Los juicios críticos discurren en la medida de los estrenos que van ocurriendo por intermedio de las orquestas sinfónicas nacionales; en especial la Gran Mariscal de Ayacucho, la Sinfónica de Carabobo, la Municipal de Caracas y la Sinfónica Simón Bolívar.

El maestro Rodolfo Saglimbeni, alumno de los tiempos de la Filarmónica y director predilecto, en 1997 deja saber su opinión respecto a esta etapa a la periodista Nayarí Rossi:

Aldemaro desarrolló un legado académico a partir de las raíces venezolanas: tomó la esencia de la música venezolana y creó un lenguaje propio. Era una persona que tenía el oficio, buscó una fórmula y la desarrolló. Escribir para una orquesta sinfónica es una cosa muy complicada. Aldemaro a los 18 años ya lo sabía hacer, y no sólo lo sabía hacer sino que fue contratado por la RCA Víctor para ello (...) En la música académica sabía escribir muy bien para orquesta; cuando hace algo como la "Fuga con pajarillo" te das cuenta de que toma un tema venezolano y lo fusiona con una de las formas musicales más antiguas de la historia: la fuga. Escribe una fuga que tiene los rigores de esa forma musical y suena venezolano, en una obra académica. ¿Dónde aprendió? El oído; siempre me decía que escuchara música (...) Recuerdo que una vez le comenté que la "Fuga con pajarillo" era su obra más tocada en todo el mundo. Le dije que como era sólo para para cuerdas debía componer un gran pajarillo para orquesta sinfónica, donde no sólo participaran las cuerdas. No habían pasado 10 días cunado aterrizaron en mi escritorio la "Tocatta bacchiana y Gran pajarillo aldemaroso", eso es admirable. Esa disciplina no tiene palabras (...) Una persona que realmente conocía su oficio, un artesano de la música; no estaba esperando que le llegara la musa, ésa siempre estaba presente en Aldemaro. Escribía muchas más obras de las que podía estrenar. Uno de los compositores más tocados en Latinoamérica es él. Eso obedece a que sus composiciones son buena música.

Estreno mundial del "Gloria", Rumania, 2005

El Premio Nacional (2001-2005)

Esta historia bien podría contarse a través de los personajes conocidos por el biografiado. Hay allí un juego vital de relaciones que iluminan y, a su vez, son iluminadas. En su libro *Encuentros con la gente*, Aldemaro refiere sus experiencias por intermedio de las personalidades públicas cercanas a quienes, en cierta forma, se debe como artista. Razones profundas, existenciales, pueden percibirse en este curioso enfoque autobiográfico.

El trópico venezolano, hoy parte activa de la cultura mundial, hace menos de un siglo significaba alienación, imposibilidad de conocer y progresar. Esto se hacía especialmente evidente para un joven valenciano que en los años treinta pateaba calles de perros realengos, calzado de unas alpargatas que le remarcaban odiosos límites. ¿Cómo salir de aquello? ¿Qué camino podía resultar útil? Conocer y ser conocido por gente ilustre que a su vez te dé lustre; acaso allí una clave central en la promoción y construcción de una joven persona de la música siempre presta a valorar la buena compañía.

Ya desde sus comienzos agradecía el trabajo en los distinguidos espacios del Hotel Majestic, no tanto por sueldos ni experiencia, sino por la presencia de intelectuales del calibre de Andrés Eloy Blanco o Mariano Picón Salas, a quienes complacía a cambio de su luminosa cercanía. Otro tanto lo lleva a relacionarse con Luis Alfonzo Larrain, la mejor orquesta de los años cuarenta, o con destacados artistas venezolanos de su generación –Jesús Soto, Carlos Cruz-Diez, Aquiles Nazoa, Alirio Díaz o Alfredo Sadel, por decir–, creadores de indiscutible proyección internacional.

Es cosa de acercarse al talento ajeno para percibirlo, aprehenderlo y entregar a cambio el suyo. Dar para que te den, viejo aforismo romano aderezado por una buena memoria, oído perfecto y talento transformado en trabajo puntual hasta el extremo, perfeccionista, infatigable. Talento de imaginación activa, incesante, preservada y apoyada por uno los más idóneos instrumentos contemporáneos: la libreta de teléfonos y el respectivo aparato siempre dispuesto a refrescar cercanías.

Una libreta de teléfonos comparte con el piano el protagonismo de los instrumentos de apoyo centrales de nuestro artista. Es ella testigo principal de la potencia del método de conocer y ser conocido: ¿se requiere de un promotor de boxeo para inaugurar el Poliedro? El número telefónico referirá al hombre de las noches del Club *Copacabana* en la Nueva York de gangsters–empresarios boxísticos... ¿Debe contactarse a un artista latino excepcional para el Festival de Onda Nueva? Otro número marca a Chico O'Farrill o Tito Puente para procurar el contacto necesario y, de paso, invitarlos a participar... ¿Más necesidad de músicos importantes para proyectos de vida misma? Entonces ni hablar, la libreta preserva relaciones de tal singularidad, que una sola de ellas bastaría para dar lustre a la carrera de un artista de mediano rango:

–Abreu, José Antonio: "José Antonio, ¿cómo estás? Te tengo listos los arreglos que me encomendaste. ¿Cuándo nos vemos?".

–Agüero, Alí: "Es Aldemaro, Alí... Reúnete a 'los Cuñaos' porque hay tigre a la vista".

–Bendayán, Amador: "Epa Mustafá... Soy el pianista de *Cada noche una estrella*".

–Cabrujas, José Ignacio: "Tiempo sin oírte, José Ignacio... ¿No has montado de nuevo *El extraño viaje de Simón el malo*, al que le hice la música por el año setenta? ¿O fue antes?".

–Chacín, María Teresa: "Es Aldemaro... ¿Quieres venirte al Ateneo este domingo para que me ayudes con un par de canciones?".

–Díaz, Simón: "Hola Simón. ¿Cuándo volvemos al llano por esa "Carretera" que te compuse especialmente".

–Frómeta, Billo: "Hola Billo. Te estoy llamando porque no quiero problemas con...".

–Graterolacho: "Graterol, Camaleón; ¿no es un ratico con el Gobierno, y otro con la oposición...?".

–Nazoa, Aquiles: "Es Aldemaro. ¿Cuándo hacemos la segunda parte de *Caracas física y espiritual*?".

–O'Farrill, Chico: "Saludos a Lupe, tu esposa, *old pal'*... pronto nos vemos por allá para que le converses a Paquito D'Rivera acerca del concierto que le escribí".

–Galindo, Rafa: "Rafa, es Aldemaro. ¿Cómo le hacemos para montar unos boleritos para un "tigre" que tengo por ahí?".

–Larrain, Luis Alfonzo: "¿Cómo estás, Luis? Es Aldemaro. Te llamo para invitarte a un acto que hay en SACVEN mañana. De paso podemos hablar de una plancha que va a las próximas elecciones directivas y...".

–Hernández, "Pavo" Frank: "Rosalía me llamó para un tigre que...".

–Martin, Dean: "*This is Al Romero, arranger of your theme song, 'When you´re smiling'... from the Copacabana days...*".

–Montero, Gabriela: "Gabriela, es Aldemaro Romero. Te compuse un concierto titulado "Los dedos febriles de Gabriela". Dime dónde te lo mando para que lo revises y después lo toques".

–Moreán, Carlos: "Ya sé que es la una y media de la madrugada, pero es que necesito...".

–Pacheco, Julián (Guillermo Rodríguez Blanco): "Pero bueno, pero bueno... ¡sí!".

–Puente, Tito: "*Ran, kan, kan*... aquí desde Caracas; ¡En el Ávila siempre es la cosa, Tito!".

–Rivas, María: "Es Alfred Hitchcock, que te hablará catalán, si vienes a la casa a darme un masaje terapéutico".

–Sadel, Alfredo: "Hola Alfredo. Vamos invitados a un espectáculo donde yo canto la parte de Benny Moré en "Alma libre", y tu cantas la de Alfredo Sadel, ¿te parece?".

–Saglimbeni, Rodolfo: "Es Aldemaro... ¿Cuándo vas a estrenar la obra que te mandé hace ya una semana?".

–Sánchez, Magdalena: "Mi querida Magdalena, ¿te parece si cantas "Aragüita" en el espectáculo de mis 70 años? No te preocupes por lo de tocarlo como Onda Nueva; esa es la misma cosa que tocar un joropo".

–Soteldo, Elisa: "Elisa, es Aldemaro... No sé si me gusta grabar "*Mi melancolía*".

–Wilson, Nancy: "*Hello, beautiful and lovely Nancy. This is Aldemaro Romero, your Onda Nueva's conductor from Caracas, Venezuela*".

La libreta se va poniendo al día. Llegan nuevos números telefónicos producto de ese ejercicio vital siempre en búsqueda de cercanía con la gente talentosa. Esos números de pronto sustituyen otros de una forma tal vez macabra, pero eficiente: Cada vez que muere un conocido, vale una cruz a su lado. De pronto aparece un nombre borroneado, ilegible por imprescindible de tanto repasar la página con el dedo índice: sus compadres Antonio Cortés y Egildo Luján. Eleazar López Contreras, Jacques Braunstein, Mariahé Pabón o el editor Aldo Pagani, quien telefónicamente bien puede escuchar el rezagado –por no decir controlado– espíritu empresarial que lo ha llevado desde el "Circo Ya-rac" juvenil hasta un novel "Festival Aldemaro Romero", que a sus 70 y tantos años está en planes de producir: "!*Ma que cosa diche*, Aldo! No seas flojo. Necesito que la música se edite mañana mísmo. *Andiamo*". Y cuelga la llamada en señal de simpática sorna.

A veces le resulta imposible trazar la cruz en la libreta. Son muchos los afectos que con ella se despiden. Importantes experiencias compartidas marcan el adiós al número de su gran compañero Alfredo Sadel, ocurrido el 28 de junio de 1989. ¿Y qué decir de la tristeza y el desasosiego del día 8 de diciembre de 1999, cuando muere su hermana Rosalía? Todos los años de vida le van compartidos con la hermana menor que lo defendió, lo vio crecer, triunfar –"¿qué hubiera dicho Rosalía del Premio Nacional del año 2000?"–, caer y levantarse sin jamás abandonarlo: "Tres Rosalías", composición académica de 2003, es su mejor cruz a la sempiterna "hermanager".

Los cierres de capítulos son inevitables, bien lo sabe, pero deben prorrogarse lo más posible. La promesa septuagenaria de seguir adelante implica agregar nuevos nombres en lugar de los ya cancelados y, por supuesto, seguir adelante. El reto del calendario es asumido con trabajo y compromisos diarios aceptados con la mejor disposición imaginable. Pero el calendario también tiene sus problemáticos recovecos.

Dedicado principalmente, como se dijo, a componer música y sin compromisos fijos de toques semanales, aparecen serias alertas en la salud de "roble" de la que siempre se ha jactado. A sus 60 años padece de una vieja hernia, tensión alta y diabetes. Años después, en agosto de 1999, sufre una severa parálisis facial durante un viaje a Brasil; además aparecen principios de Mal de Parkinson y en el año 2002, un cáncer prostático.

El maestro Aldemaro necesita de cuidados médicos importantes y continuos. Con la ayuda familiar logra un resultado positivo que logra controlarle el cancer y "todos los otros males propios de la edad", a su decir. Pastillas, vigilancia de actividades y costumbres alimenticias, son normas obligatorias, hogareñas pero extrañas para un sibarita por naturaleza.

Hay una rutina diaria que él mismo describe con ánimo de disciplinarse:

Generalmente me despierto a las tres y media o cuatro de la madrugada a más tardar. Y como a esa hora no hay otra cosa que hacer, me pongo a escribir. Escribo hasta que me desayuno, leo el periódico y por ahí a las diez de la mañana tomo una siesta de media hora y vuelvo a escribir hasta el almuerzo. Después duermo otra siesta, y luego vuelvo a escribir hasta las nueve de la noche.

En el mientras tanto, el Premio Nacional de Música del año 2000 es asumido con la extraña naturalidad de quien espera un reconocimiento adeudado desde hace ya varias décadas, y que acaso le impulsa una actividad que desdice de la presunta pasividad de su confesada rutina.

Como quiera, los principios del siglo XXI le son propicios al punto que hasta su posición política, contraria al partido de gobierno, es puesta de lado al momento de otorgarle un Premio Nacional que refuerza el prestigio del artista incesante que continúa escribiendo música, libros y artículos de prensa. Que amenaza "tigres", ahora contratados cual testimonios centrales de cultura urbana venezolana. Que conserva energía suficiente para realizar, en noviembre de 2004, el comprometido "Festival de Solistas Aldemaro Romero", mediante una primera edición celebrada en la Hermandad Gallega de Caracas. Que, en lo personal, me permite compartir su quehacer musical, al acompañarlo como productor en algunas de sus mejores aventuras creativas de sus años finales.

Produjimos así conciertos memorables en el Ateneo de Caracas, la Fundación CorpGroup, la Fundación del Banco Industrial de Venezuela y el Teatro Trasnocho en compañía de Jacques Braunstein. También ofrecemos grabaciones de discos compactos en compañía de María Rivas, de la Orquesta Sinfónica Municipal de Caracas dirigida por Rodolfo Saglimbeni, de artistas afines a su toque popular y jazzístico (*Jazz desde Aldemaro, Aldemaro Romero y su música*). Cuatro sustanciosas tertulias prestan material para el libro testimonial *Conversaciones con Aldemaro Romero* publicado por la Fundación para la Cultura Urbana y el Grupo Econoinvest, entes también patrocinantes de sus memorias póstumas, contenidas en la joya editorial intitulada *Encuentros con la gente*, un anecdotario de alto calibre ajustado a episodios autobiográficos compartidos con distinguidas personalidades nacionales e internacionales.

En septiembre del 2005 dirige la "Sinfonietta Chamber Orchestra" en Casale Monferrato, Italia, donde lleva a María Rivas como solista. El 10 de octubre del mismo año presencia en Bucarest el estreno de su obra "Gloria" –"Lo mejor que he escrito"– interpretada por la orquesta "Sinfonetta", el coro "Euphonia" y la soprano Diana Trivellato, bajo la dirección del maestro Roberto Salvalaio. El estreno enmarca la apertura del ciclo de conciertos de la Filarmónica de Statu "Ion Dumitrescu".

El regreso a Caracas le augura aceptable salud, buen ánimo y el consagrado puesto de indiscutido maestro nacional.

El maestro Aldemaro **(2005-2007)**

Tengo 76 años de edad, nací en 1928. No he sido rico pero he vivido como tal porque conozco el mundo entero, para darle un ejemplo, he estado en Rusia dos veces, en Japón tres veces, le he dado la vuelta al mundo dos veces. El único continente que no conozco es el australiano, Oceanía (...) He disfrutado mucho la vida, he tenido los mejores automóviles, he salido a fiestear con las mujeres más bellas. Ahora estoy condensado en mis amores de ese tipo a mi mujer, que es un ángel, a quien adoro y es responsable de mi felicidad actual. Yo si me muero hoy, me muero feliz y en gran parte se lo debo a ella. Primero porque me trajo a esta casa; esta casa es de ella, que es un lugar por excelencia bucólico y tranquilo, donde tengo todo lo que necesito para trabajar: la tengo a ella que es mi inspiración, y todavía tengo mi habilidad, todavía oigo, todavía veo y todavía puedo escribir (...) A la pobre Elizabeth la tengo loca porque todos los días le entrego una obra terminada. Ella no halla dónde meterlas, pero ella es la que lleva el control de eso y lo hace muy bien.

La cita proviene de un documental producido por Vale TV en el año 2004, que hace honor al título de la serie: "Gente que vale". Allí no sólo se revisa la vida del maestro a viva voz, sino también se da oportunidad crítica a la dimensión de su obra. Y nadie mejor que otro nombre esencial para la música venezolana, el maestro José Antonio Abreu, en cuanto a dar opinión y centrar valores éticos y estéticos:

En las orquestas juveniles e infantiles queremos mucho a Aldemaro Romero. Ha sido un maestro ejemplar, un puente de oro entre la música popular venezolana y la música sinfónica. Él ha sido un excelente cultor, investigador e intérprete de nuestra música. Ha sido un músico profesional de sólida formación, un excelente orquestador. Una persona que ha logrado transcribir para nosotros, para nuestras orquestas, nuestros jóvenes, un valiosísimo repertorio nacional.

Nosotros tocamos con mucha frecuencia sus arreglos de música llanera, música central, música andina. Nuestros niños aman, además, la orquestación de Aldemaro Romero que es siempre adecuada a la técnica de estas orquestas, muy flexible, muy imaginativa. Y los públicos han aprendido a través de Aldemaro Romero a apreciar en lenguaje sinfónico los elementos más fundamentales y esencialistas de nuestra música venezolana.

Nosotros disfrutamos enormemente tocando esos arreglos. Los niños, por ejemplo, acaban de tocar ante una audiencia masiva, delirante yo diría, su "Fuga con Pajarillo", que fue inicialmente para cuerdas y luego versionó para orquesta completa y se la dedicó a la Orquesta Infantil de Caracas. Ahí se puede apreciar claramente su categoría académica, en primer lugar porque es una obra contrapuntística severa, bien intrincada y compleja su estructura, luego por la extraordinaria concepción de Aldemaro del color orquestal, su talento para manejar la palestra sinfónica con ductibilidad, con imaginación y luego su capacidad para entender la dinámica de las orquestas juveniles e infantiles, su manera de abordar la música, de darla a entender y ejecutarla.

Un joven maestro Gustavo Dudamel, coincide con el maestro Abreu en cuanto a la valoración de la "Fuga con pajarillo": "Es una pieza que contiene todo. Es difícil técnicamente, extremadamente rica musicalmente y, además, más venezolana no puede ser". Cuatro años más tarde, el distinguido crítico Einar Goyo Ponte celebra la grabación de la Fuga –editada en 2008 en el disco *Fiesta*–, con Dudamel al frente de la Orquesta Sinfónica Juvenil Simón Bolívar:

los legatissimi casi mahlerianos de esta obra, la rotundidad rítmica, el discernimiento de los metales. Lo mismo encontramos en la matizadísima "Fuga con pajarillo", de Aldemaro Romero (la cual es puesta por primera vez en un contexto compartido con otras obras venezolanas y latinoamericanas, alcanza su justa dimensión de asombro y excelencia).

Hasta sus más recalcitrantes críticos le ratifican la versatilidad y el estilo definido desde hace décadas: "Oyes tres compases y ya le reconoces la pluma: eso es de Aldemaro, te guste o no". La cercanía a sus 80 años va sustituyendo opiniones, por honores que lo llenan de satisfacción. En 2006 le confieren tres doctorados Honoris Causa:

la Universidad de Carabobo, la Universidad Lisandro Alvarado de Barquisimeto y la Universidad del Zulia no pierden la oportunidad de honrarlo y escuchar su ingenioso verbo. Órdenes y condecoraciones de toda índole van en refuerzo del hombre a quienes muchos entrevistan y escuchan con interés.

Su actividad sigue el movido plan de componer, producir programas de radio –*Otra vez Aldemaro*, en 97.7 FM durante los años 2006 y 2007–, escribir, coproducir grabaciones, aceptar "tigres", invitaciones a dirigir y promocionar empresas de tono cultural como "Progente", o la "Federación Nacional del Espectáculo". Hay interés en reforzar nexos familiares a través de almuerzos dominicales y cumpleaños, que desde hace ya una década han facilitado reuniones de los Romero-Díaz, los Falkenhagen-Marrero, los Rossi-Sandoval y los sempiternos invitados especiales del clan: Elisa Soteldo y su familia; Rosalía, Mariela, Godofredo, Luisa (Ninina) y una porción de sobrinos y allegados aldemaristas.

El espíritu de conciliación impregna los años finales del maestro. Poner en orden su casa y sus cosas: armonía en la familia, en los proyectos, en los afectos y, por supuesto, en la música. Cabe todavía un último viaje en familia en 2006 con Elizabeth y su amabe suegra, doña Luisa: Lisboa, Madrid, Toledo, Sevilla, Granada, Londres, París, Milán, Verona, Cremona, Chiari, el romántico lago de Como... Caben las horas dedicadas a cultivar cercanía con el cardenal Rosalio Castillo Lara, guía espiritual, con Rodolfo Saglimbeni, custodio y director de su obra, con José Antonio Abreu, motor de la música académica nacional.

Es tiempo de jóvenes músicos *pop, ska y rock*, quienes le rinden el homenaje de tocar su música: el "Festival de Nuevas Bandas" se celebra en su honor 6 de marzo de 2007. La Fundación Nuevas Bandas edita un desafiante *Nueva Onda: Aldemaro Electronic*, con sus composiciones populares en clave de estilos contemporáneos como el *drum n' bass, el broken beat y el house*. Participan grupos contemporáneos –Sur Carabela junto con Apolonia, Spyrp, Dj Afro, Dondi y Demetrio junto con Aafke– y el maestro aplaude entusiasmado. Es igualmente tiempo de viejos amigos –Elisa Soteldo, María Teresa Chacín, Carlos Moreán, Oscar D'León, entre otros– asistiendo a los estudios de Omar Jeantón y Alí Agüero, para grabar un *Aldemaro Romero y su música* que tenemos el honor de coproducir.

Dirige por última vez la Orquesta Sinfónica Gran Mariscal de Aya-cucho el 17 de marzo de 2007, acompañando a Rafa Galindo –"tú y yo somos pan y cebolla, Rafa"– en la emotiva inauguración de la Plaza Alfredo Sadel, con una interpretación de "Me queda el consuelo" que levanta el entusiasta comentario crítico de Einar Goyo Ponte: "acom-pañó en la batuta de la orquesta a ese milagro llamado Rafa Galindo por cuya garganta no sale ya voz (intacta y pristina como siempre) sino emociones desbordadas".

En el ínterin de conciertos, homenajes y presentaciones, la Quinta Tancha pone en un digno lugar al maestro Aldemaro que desde allí da y recibe sus más íntimas ofrendas finales. "Vals para Eli" queda dedicado a su hija Elizabeth Rossi Sandoval, tal y como años antes había sucedido con el "Vals para Vanessa", en honor de su hija Vanessa Falkenhagen, o a "Para Ruby", dedicado a su hija Ruby Romero Díaz. "*Petit Concert pour Nicole*" está inspirado en una nieta, y "Con amor por Catalina" queda en obsequio de la más pequeña de la familia. La doctora Maritza Durán de Saglimbeni, médico y flautista, toma activa cuenta de su salud y recibe la ofrenda un hermoso concierto para flauta y orquesta intitulado "Maritzana". La vena "académica" ha inspirado la composición de unas 80 obras, comenzando con la "Piazzollana" a principios de 1998, hasta terminar el día 12 de agosto del 2007 con la pieza de cámara "Biarritz".

Tres días después de concluir "Biarritz", entra a la Clínica El Ávila para operarse una vieja hernia que colapsa. "Siempre dice que él planea morirse muy viejito porque, según lo que sabe, todos los directores de orquesta se mueren viejitos", comenta su hija Ruby, mientras con áni-mo positivo recuerda cómo nunca quiso operarse esa hernia de toda su vida que, de paso, lo excusó "para ser gordo". El espíritu de solidaridad invade a médicos, enfermeras, allegados y al enfermo mismo.

Elizabeth se instala en la Clínica, recibe el apoyo de amigos y familia-res. El maestro pide compañía, afecto y, por supuesto, de inmediato lo consigue. Amigos artistas se reúnen, proyectan conciertos para ayudar con los costos de la Clínica que, a su vez, trata al ilustre enfermo con mucha condescendencia. Todos hacen lo que pueden para complacerlo: "Un año más para mis 80; más nada", pide, pero el destino es otro.

A pesar de los esfuerzos, las complicaciones generales agravan el cuadro del paciente. Hay que cambiar los tratamientos médicos por los santos óleos religiosos. Y así se hace.

El día 15 de septiembre de 2007 fallece el maestro Aldemaro Romero. El 28 de diciembre del mismo año Elizabeth, su esposa, y Ruby, su hija, cumpliendo sus deseos llevan sus cenizas al Lago de Como, en la idílica Italia de ensueños acaso compartidos por las sencillas líneas del epitafio dictado por una particular inspiración del maestro:

Cuando uno muere, cuando se va de este mundo, lo más importante es su recuerdo. Yo por primera vez en mi vida sentí envidia —y no la he vuelto a sentir más nunca— en la Catedral de Westminster en Londres. Hay allí un jardín con varias tumbas. Me quede mirando la de un señor cuyo nombre se me ha olvidado, pero que tenía un epitafio que decía: "He was a good man". Ese epitafio fue la causa de mi envidia, porque es el epitafio que quisiera en mi tumba:

"Él fue un buen hombre".

Al piano en la intimidad

A manera **de epílogo**
(por Rodolfo Saglimbeni)

Desde muy joven presentí la grandeza de Aldemaro Romero. Su imagen de hombre público a través de su música y el devenir de sus conversaciones, lo polémico de su día a día, me sembraron una curiosidad sobre un hombre, al menos, enigmático.

En mi Barquisimeto natal, las conversaciones del medio musical desde luego versaban sobre Beethoven, Tchaikowsky, Brahms pero también de Estévez, Castellanos y Carreño. En tertulias con un "cepillado" en las manos, también el nombre de Aldemaro Romero se "dejaba colar", aunque para mi sorpresa, con tibios o malsanos comentarios a pesar de que su música se escuchaba en todas partes y el común de la gente la aceptaba sin problemas. Me llamaba la atención descubrir en las carátulas de los ahora viejos *LP*, que no estaban grabados en Venezuela. Entre las variadas orquestas de esas grabaciones, estaba la London Symphony, aquella que dirigían grandes maestros en grandes obras sinfónicas de todos los tiempos. Ciertamente un muy personal acertijo se instaló en el subconsciente: ¿quién era verdaderamente Aldemaro Romero?

Siendo, un adolescente provinciano, pichón de director de orquesta, su música, sus letras, sus arreglos, su personalidad y versatilidad me lo hacían ver como una persona de verdaderos méritos. Siempre pensé que sobre su figura se tejía cierta mezquindad. Al ver por televisión el concierto inaugural de la Orquesta Filarmónica de Caracas, creí que al menos le reconocerían que tenía en sus manos un gran proyecto; pero si bien había una Venezuela que valoraba a Aldemaro Romero, muchos "especialistas" lo tildaban de "cabaretero" haciéndose eco de una triste crónica de la época, que entre otras cosas decía que cómo era posible que un "cabaretero" pudiera estar al frente de una Orquesta Sinfónica. Al menos esa crónica dejó para la posteridad una excelente, clara y efectiva respuesta, mediante una canción titulada "Cabaretero" donde el maestro, haciendo honor al dicho "no hay mal que por bien...", pues concretó una muy personal e irónica declaración de principios.

Al mudarme a la capital venezolana, esperé recibir respuestas a mis múltiples preguntas de este acertijo "aldemareano", pero sorpresa... el descrédito podía a veces tomar signos muy virulentos. La profesión que elegí me puso en el camino de la Orquesta Filarmónica de Caracas que a través de un visionario concurso, me dio el privilegio de trabajar muy de cerca del maestro. Con el flamante título de "director asistente", de la Orquesta Filarmónica de Caracas, comencé en 1981, a escasos 19 años, una experiencia que combinaba trabajo, siembra y aprendizaje. Desde ese momento he vivido el increíble privilegio de estar al lado de una de las figuras más fulgurantes de la Venezuela contemporánea. Me di cuenta de que escuchar a los detractores era perder el tiempo. Tenía ante mí el libro abierto de esa persona que de la curiosidad hizo su aprendizaje. Y de qué manera.

El compositor que de su alma y sentir aprendió a escribir un bolero, un mambo o un chachachá. El hombre que aprendió a dirigir una orquesta de la mejor manera: dirigiéndola. El arreglista que aprendió a crear versiones inolvidables al oído de generaciones de venezolanos, haciendo los arreglos entre los días que separaban las noches de lo que muchos músicos académicos hubieran –o debieran haber– querido vivir: sus horas de "cabaretero". El soñador que bajo sus brazos llevó decenas de arreglos a Nueva York y que luego de convocar a los *freelance* más calificados del medio, hicieron que la luz roja del estudio no parara de prenderse y apagarse casi intermitentemente... Arreglo que se ponía en los atriles, arreglo que se ensayaba una vez y la luz roja se encendía. El milagro se producía a través de los sonidos de tan distinguidos ejecutantes, que sólo pedían arreglos tan bien hechos como aquellos que sin duda estaban interpretando.

El hombre que de la versatilidad hizo su mundo. Ése que en momentos fulgurantes echaba a andar proyectos de producciones musicales en la radio, la televisión, en el escenario o el estudio de grabación; quien producía un festival de música, fundaba una distribuidora de discos o una oficina de publicidad, mientras concretaba una bella canción, la ingeniosa banda sonora de una película, o cierta académica fuga emanada de las propias entrañas del "pajarillo". Y hay mucho más: crear el magnífico encuentro de las artes que a través de su musa unía a Bolívar, Manuelita, Neruda o Andrés Eloy Blanco con lo más puro y autóctono del folklore nacional. Negras, corcheas y semicorcheas llenando día a día pentagramas vacíos con música inspiradora de una Venezuela progresista... De tantas cosas que pude vivir desde ese algo lejano 1981, la que más me llamaba la atención era la capacidad de crear, de escribir música que además de buena, era muy bella. Como él bien decía: no era que escribía música cuando le llegaba la musa, es que desde que llegó... ¡no la dejó ir! Y así escribía día tras día, por décadas.

Viví una historia, haciendo y viviendo su música; siendo testigo directo de cómo esas notas inertes en el papel cobraban vida y seguían vigentes hasta seis décadas después de escritas. De cómo ellas al interpretarse viajaban directamente al alma y corazón de una generación que lo admiraba, y de cómo trascendían a nuevas generaciones de alguna forma hechizadas por su encanto. Desde Caracas a Moscú pasando por Madrid, Londres, Nueva York, Bamberg, Dusseldorf, Bogotá, Milán, Roma, la gente hacía de sus canciones un género propio. Sú música academica era interpretada por orquestas sinfónicas: lo enrevesado de una "*Toccata Bachiana*"; el "Gran Pajarillo Aldemaroso", preludiando... ¡una sinfonía de Mahler!

Así pensé en una sobremesa de almuerzo dominical, mientras poco a poco nuestra conversación se apagaba y él se quedaba dormido... Pero dormido a las dos de la tarde, para luego despertarse y trabajar tantas horas más, reposar otro rato, ver un "jueguito" de béisbol, servirse un "*White Label* con agua" (regalarle otro *whiskey*, aunque fuera de mayor *pedigrí*, era apostar a que esa botella la regalaría), escribir un artículo de prensa, corregir un borrador del libro sobre el joropo, o escribir de memoria toda la música y letra de sus muchísimas canciones; o corregir un error de pronunciación de uno de sus nietos, usando un explicación muy sencilla de una muy compleja etimología, o decir un piropo al aire radiofónico a su querida Elizabeth, para seguir trabajando en la madrugada, dormir algo en el alba, despertase y seguir creando.

En la otra esquina –para utilizar un término muy utilizado por el maestro Aldemaro– estaba Federico Pacanins, que al igual que yo trataba de resolver sus acertijos "aldemareanos" y encontrándose, al igual que yo, con muchas inexplicables respuestas. Un muy buen día, en un encuentro fortuito en Caracas, donde recién me lo habían presentado, Federico me preguntó, casi como susurrando, qué me parecía la música de Aldemaro, y le respondí –no sin antes mirar a los lados y cerciorarme que no había muchos "moros en la costa"– con un susurro en un casi *pianissimo*, que consideraba a Aldemaro como uno de los más completos artistas y hombres con los que la vida me había dado el privilegio, no sólo de conocer y estudiar su música, sino de aprender siempre de su intelecto y su conocimiento. Desde ese día, me encontré a ese "compinche", con quien cruzaba momentos, anécdotas, grabaciones, conversaciones, circunstancias donde se centraba la admiración de la obra del maestro Aldemaro. Creábamos ciertas "escaramuzas" para sentarlo a tocar piano, haciéndole creer que probábamos micrófonos y luego utilizar su improvisación en una grabación. Llevábamos su conversación a través de artilugios hasta llegar a un profundo lugar de su genio e ingenio. Hacíamos de su casa, de nuestras casas, de un carro, de una interminable cola caraqueña el momento de una "ingenua pregunta" que nos diera pie a seguir una conversación que nos llevara a entender más su ingenio y versatilidad. Es así como Federico, escritor de fina pluma, melómano "travieso" y sensible hasta la médula, especie de "coach en tercera" que con sus finísimos oídos y excelente olfato de productor me acompañó y lo acompañé en muchas aventuras con Aldemaro, redescubriendo partituras, escritos, compartiendo con sus inseparables Alí Agüero, Carlos Moreán o el "Pavo" Frank, momentos de un pasado, un presente y un futuro. Aldemaro y Elizabeth, de su parte, nos abrieron su casa y sus corazones para nosotros y nuestras familias. Teníamos el mejor motivo, ese Aldemaro a quien curiosamente ya tirios y troyanos le reconocían su valor.

En nuestras numerosas tertulias, reuniones o encuentros viviendo a Aldemaro, a veces se nos cruzaba un silencio que tanto Federico como yo sabíamos qué significaba. Hubo un día que ese silencio fue el preludio de una llamada telefónica. No hubo muchas palabras, verdaderamente no podíamos hablar. No había vuelta atrás. Ese día, esa mañana muy temprano, en ese lugar donde tantas veces nos reuníamos a hablar de Aldemaro como si fuese una "peña", pero de sólo dos fanáticos, ya no se escuchó más su nombre.

Luego de la partida, evitamos vernos y así evitar el tema. Vivimos de nuestros recuerdos, escuchamos nuestros *long play*, las grabaciones "escondidas", sus últimos discos, su voz grabada, su memorabilia... pero Aldemaro nos tenía una sorpresa final: seguirlo viviendo con más música grabada, con música por estrenar a montones, con artistas y orquestas de todas partes ahora queriendo hacer su música desde todas las perspectivas imaginables... Fue entonces cuando nos dimos cuenta de que empezaba una posteridad que, sabemos, ya no se detiene.

La Fundación Aldemaro Romero puso a nuestra disposición su hemeroteca y archivos, con diversas fuentes de información consistentes en artículos y publicidad de prensa nacional e internacional, revistas, programas de mano de conciertos, libretos, correspondencia, agendas de trabajo, fotografías, videos, grabaciones volantes, discursos e información gráfica y miscelánea útil para sustanciar parte importante de los hechos biográficos aquí referidos.

Vaya mi expreso reconocimiento a la Fundación y a la tesonera labor de las investigadoras María Corina Salas y Andreina Luciani, con quienes conformé un equipo de trabajo siempre apoyado por la activa cooperación de Elizabeth Rossi de Romero, principal preservadora del legado del maestro Aldemaro.

Igualmente, expreso mi reconocimiento a los familiares y amigos del maestro que, para mis efectos investigativos, generosamente compartieron sus memorias: Luisa de Sandoval, Luisa Romero de Johnston, Margot Díaz Saavedra, Aldemaro Romero Díaz, Rafa Galindo, Jacques Braunstein, José Hinojosa, Jesús Rafael Pérez, Carlos Torres Parentti, Egildo Luján, Mariahé Pabón, Paul Desene, Guiomar Narváez, Zoraida Irazabal, Rodolfo Saglimbeni y, muy especialmente su hija, Ruby Romero de Isaev.

Fuentes

- Bravo, Napoleón y otros (2007). "La verdad de Aldemaro Romero", *Gente en ambiente*, No 14, Caracas.
- Calcaño, José A. (1985). *La ciudad y su música*. Caracas. Monte Ávila Editores
- Castillo, H., Alecia (1990). *Cantos y cuentos de Valencia*. Valencia, Estado Carabobo. Edición de la Universidad de Carabobo.
- Freilich, Alicia (2006). *En clave sexymental*. Caracas. Editorial Comala.
- Gómez, Carlos Alarico (2009). *En la época de Alfredo Sadel*. Editorial Actum.
- Gornes, Cristóbal (1980). *Música de autores carabobeños*. Valencia, estado Carabobo. Ediciones del Ejecutivo del Estado Carabobo.
- Graterol, Manuel y otros (2008). *Los Aldemarosos, testimonios y viviendas*, Caracas. SACVEN.
- Goldberg, Jacqueline (2005). *En idioma de jazz. Memorias provisiorias de Jacques Braunstein*. Caracas. Fundación para la Cultura Urbana.

- Hyppolite, Nelson (1988). *La pregunta y sus víctimas*. Caracas. Pomaire.
- Iribarren Borges, Ignacio (1985). *La teoría y la práctica*. Caracas. Publicaciones CONAC,
- Lizardo, Pedro Francisco (1957). Rafael A. Romero en libreto "Aldemaro Romero y su Orquesta de Conciertos. La música de Venezuela". Caracas. Cymbal, LPS 1400.
- López Contreras, Eleazar (2006). *Historia de la música popular en Caracas*. Caracas. Edición limitada, eleazarlopezc9@hotmail.com
- Marcano, Angel Vicente (2001). *Fuga con... Aldemaro*. Caracas. Editorial Nivaldo.
- Martínez Galindo, Román (2002). *¡Epa Isidoro!* Caracas. Vadell Hermanos.
- Monasterios, Rubén (1990). *Ramillete de improperios*. Caracas. Editorial Planeta.
- Nazoa, Aquiles y varios autores (1967). *CARACAS 400 Años*. Caracas. Ediciones del Círculo Musical.
- Núñez, Luis A. (1967). *Génesis y evolución de la cultura en Carabobo*. Biblioteca de Artes y Temas Carabobeños.
- Pacanins, Federico (2005). *Tropicalia caraqueña*. Caracas. Fundación para la Cultura Urbana.
- Pacanins, Federico (2006). *Conversaciones con Aldemaro Romero*. Caracas. Fundación para la Cultura Urbana
- Padrón, Leonardo (2008). *Los imposibles, 3*. Caracas. Editorial santillana.
- Ramón y Rivera, Luis F. (1976). *La música popular de Venezuela*. Caracas. Ernesto Ermitano, Editor.
- Rodríguez Cárdenas, Manuel (1988). *Aldemaro, un palique palabrero sobre Aldemaro Romero*. Caracas. Edición privada.
- Romero, Aldemaro (1967). *Caracas y algunas reflexiones sobre música popular*. Caracas 400 años. Edición Especial del Círculo Musical.
- Romero, Aldemaro (1970–1980). "Rubirosa", libreto basado en la vida de Porfirio Rubirosa, también intitulado *The latin lover*. Colección Fundación Aldemaro Romero.

- Romero, Aldemaro (1992). *Esta es una orquesta*. Caracas. Ediciones de Fundarte.
- Romero, Aldemaro (1998). *Cosas de la música*. Valencia, Estado Carabobo. Ediciones de la Dirección de Cultura del Edo. Carabobo.
- Romero, Aldemaro (2004). *El joropo llanero y el joropo central.* Caracas. SACVEN.
- Romero, Alemaro (2006). *Apuntes de la música en Carabobo*. Valencia, Estado Carabobo. Ediciones del Consejo Legislativo.
- Romero, Aldemaro (2007). *Encuentro con la gente*. Caracas. Fundación para la Cultura Urbana.
- Salazar, Rafael (1985). *Música y Folklore de Venezuela*. Caracas. Editorial Lisboa.
- Torres P., Carlos (2006). *Anécdotas Sostenidas y Bemoladas*. Caracas. Sacven.

Biblioteca Biográfica Venezolana

Títulos publicados
Primera etapa / 2005-2006

Segunda etapa/ 2006-2007

36. Miguel Otero Silva / Argenis Martínez
37. Agustín Codazzi / Juan José Pérez Rancel
38. Pedro Manuel Arcaya / Pedro Manuel Arcaya Urrutia
39. Raimundo Andueza Palacio / Edgar C. Otálvora
40. Andrés Bello / Pedro Cunill Grau
41. Rómulo Gallegos / Simón Alberto Consalvi
42. Eugenio Mendoza / Carlos Alarico Gómez
43. José Gregorio Monagas / Agustín Moreno Molina
44. José Rafael Revenga / Carlos Hernández Delfino
45. Gustavo Machado / Manuel Felipe Sierra
46. Rafael Arias Blanco / Manuel Donís Ríos
47. José María Vargas / Carolina Guerrero
48. Mario Briceño-Iragorry / Laura Febres
49. José Antonio Ramos Sucre / Alba Rosa Hernández Bossio
50. Laureano Vallenilla Lanz / Elsa Cardozo

Tercera etapa / 2007-2008
51. Francisco De Venanzi / Sonia Hecker
52. Antonio Leocadio Guzmán / Rogelio Altez
53. Antonio Guzmán Blanco / María Elena González Deluca
54. Isaac J. Pardo / María Ramírez Ribes
55. Julián Castro / Tomás Straka
56. Carlos Eduardo Frias / Edgardo Mondolfi Gudat
57. Arturo Michelena / Francisco Javier Duplá
58. Diógenes Escalante / Maye Primera Garcés
59. Juan Vicente Gómez / Simón Alberto Consalvi
60. Tulio Febres Cordero / Ricardo Gil Otaiza
61. Lucila Palacios / Carmen Mannarino
62. José Cortés de Madariaga / Antonio Sánchez García
63. Rafael María Baralt / Lucía Raynero
64. Manuel R. Egaña / Luis Xavier Grisanti
65. Antonio Lauro / Ivo Hernández
66. Juan Antonio Pérez Bonalde / Antonio Padrón Toro
67. Manuel Antonio Matos / Catalina Banko
68. Gumersindo Torres / Eduardo Mayobre
69. José Antonio Páez / Ramón Hernandez
70. Feliciano Montenegro Colón / Napoleón Franceschi G.
71. Vicente Salias / Juan Carlos Reyes
72. Ezequiel Zamora / Manuel Donís Ríos
73. Francisco Linares Alcántara / David Ruiz Chataing
74. Juan Liscano / Rafael Arráiz Lucca
75. Martín Tovar y Tovar / Francisco Javier Duplá

Cuarta etapa / 2008-2009

76. Julio César Salas / Francisco Javier Pérez
77. Juan Germán Roscio / Carlos Pernalete
78. Armando Zuloaga Blanco / Ignacia Fombona de Certad
79. Jóvito Villalba / Omar Pérez
80. Miyó Vestrini / Mariela Díaz
81. Francisco González Guinán / Luis Zuccato
82. Emilio Boggio / Beatriz Sogbe
83. Jesús Muñoz Tébar / José Alberto Olivar
84. Fermín Toro / Rafael Fernández Heres
85. Antonio Arráiz / Alexis Márquez Rodríguez
86. Manuel Felipe de Tovar / Miguel Hurtado Leña
87. Wolfgang Larrazábal / Omar Pérez
88. Mariano Picón Salas / Gregory Zambrano
89. Victorino Márquez Bustillos / Antonio García Ponce
90. Miguel Acosta Saignes / Rafael Strauss K.
91. Juan Crisóstomo Falcón / Tomás Straka
92. Caracciolo Parra Pérez / Edmundo González Urrutia
93. Cristóbal Rojas / Francisco Javier Duplá
94. Alberto Adriani / Luis Xavier Grisanti
95. Tulio Chiossone / Juvenal Salcedo Cárdenas
96. Luisa "la Nena" Palacios / Diego Arroyo Gil
97. Juana Sujo / Miriam Dembo
98. Jeannette Abouhamad / Elsa Cardozo
99. José Rafael Pocaterra / Simón Alberto Consalvi
100. Simón Bolívar / Elías Pino Iturrieta

Quinta etapa / 2009-2010

101. Doris Wells / Ocarina Castillo D'Imperio
102. Edgar Sanabria / Adolfo Borges
103. José Gil Fortoul / Lucía Raynero
104. Rafael Vegas / Eduardo Casanova
105. Cecilia Pimentel / Aurora Pinto
106. Santiago Mariño / Manuel Donís Ríos
107. Román Cárdenas / José Alberto Olivar
108. Carlos Raúl Villanueva / Juan José Pérez Rancel
109. Aldemaro Romero / Federico Pacanins

Este volumen de la Biblioteca Biográfica Venezolana
se terminó de imprimir el mes de noviembre de
2009, en los talleres de Editorial Arte, S.A., Caracas,
Venezuela. En su diseño se utilizaron caracteres light,
negra, cursiva y condensada de la familia tipográfica
Swift y Frutiger, tamaños 8.5, 10.5, 11 y 12 puntos.
En su impresión se usó papel Ensocreamy 55 grs.